Judas, l'autre disciple
Une épître imaginaire

CHARLES SINGER

Judas, l'autre disciple
Une épître imaginaire

NOVALIS

Judas, l'autre disciple est publié par Novalis.

Couverture et mise en pages : Pascale Turmel

Photo de couverture : © Erich Lessing / Art Resource, NY

© Novalis, Université Saint-Paul, Ottawa, Canada, 2005.

Dépôt légal : 1er trimestre 2005

Bibliothèque nationale du Canada
Bibliothèque nationale du Québec

Novalis, 4475, rue Frontenac, Montréal (Québec), H2H 2S2
C.P. 990, succursale Delorimier, Montréal (Québec), H2H 2T1

ISBN : 2-89507-656-1

Imprimé au Canada

Nous reconnaissons l'aide financière du gouvernement du Canada par l'entremise du Programme d'aide au développement de l'industrie de l'édition (Padié) pour nos activités d'édition.

Catalogage avant publication de Bibliothèque et Archives Canada

Singer, Charles

Judas, l'autre disciple : une épître imaginaire

ISBN 2-89507-656-1

1. Judas, l'Iscariote. I. Titre.

BS2460.J8S56 2005   225.9'2   C2005-940243-1

NOVALIS

«C'est comme si tout
en l'homme
se dédoublait:
de ce qui est encore
dans la ténèbre
vers ce qui est déjà
dans la lumière.»

Maurice BELLET

Préface

Lorsque nous lisons dans les Évangiles la liste des Douze que Jésus a appelés et auxquels il a «donné autorité sur les esprits impurs» (Mt 10,1), nous rencontrons nécessairement, en douzième et dernière position, le nom de Judas!

Jamais les chrétiens n'ont choisi d'effacer la mémoire de ce disciple qui possède toutes les caractéristiques des onze autres compagnons tout en occupant évidemment parmi eux une place bien à part, en raison du rôle joué par lui dans la Passion du Christ.

Une certaine tradition chrétienne, notamment médiévale, a diabolisé Judas. On lui a donné des traits hideux sur les tympans de nos cathédrales; on en a fait la figure emblématique de tous les traîtres de l'histoire, de tous les renégats de la terre. La théologie, quant à elle, a cherché à situer Judas avec exactitude dans le plan du salut et à montrer le rôle «providentiel» qu'il y assure: mais peut-on réduire une personne à un rôle, fût-il — à nos yeux en tout cas — indispensable ?

* * *

Charles Singer, prêtre bien connu du diocèse d'Alsace et responsable du Service diocésain de communication Alsace Média, s'attache à rendre à Judas l'épaisseur de son humanité, dans l'épître imaginaire qu'il lui fait écrire.

Passée la surprise, le lecteur est conduit à se poser quelques questions essentielles sur ce personnage décidément trop caricaturé. Si Jésus a choisi Judas, c'est bien parce que ce dernier lui semblait bel et bien posséder toutes les qualités d'un apôtre, non? Corrélativement, si Judas a répondu positivement à l'appel de Jésus, c'est bien parce qu'il avait été séduit par le Christ et par sa Parole? Bref, Judas a bien dû aimer Jésus, tout comme Jésus n'a pas manqué d'aimer Judas… Comment, alors, comprendre ce si singulier personnage, et son si étrange destin?

À travers les paroles mises dans la bouche de celui que Charles Singer appelle avec élégance «l'autre disciple», le lecteur, chrétien ou non, est conduit à revoir son jugement. Décidément, ce Judas ne peut être réduit à son sac de trente deniers et au comportement qui le lui a «mérité». Il nous ressemble tant! Il est si humain!

* * *

Ainsi sommes-nous conduits aussi à méditer sur nous-mêmes: sur ce qui nous fait certes disciples, mais aussi sur ce qui pourrait bien nous mettre nous-mêmes sur la pente de l'infidélité et de la trahison. Nous nous mettons alors à rêver sur ce que nous supposions déjà d'une certaine manière: Judas en a-t-il appelé à la miséricorde de Dieu après son geste de trahison? Et s'il l'a fait, comment n'aurait-il pas été pardonné? En tout cas, qui ou quoi donc pourrait nous autoriser, nous, à trancher nécessairement qu'il n'a pas pu en aller de la sorte?

Nous ne pouvons que remercier Charles Singer de nous permettre de relire, à travers l'histoire de Judas, celle de nos propres enthousiasmes et de nos propres élans de générosité, mais aussi celle de nos bassesses et de nos vilenies. Nous ne pouvons que le féliciter de développer, avec ce langage poétique que nous lui connaissons bien, la suggestive histoire d'un homme certes unique entre tous, mais qui, au fond, nous ressemble par tant de côtés.

† Joseph Doré
Archevêque de Strasbourg

À Jean,
fils de Zébédée,

de Judas,
fils de Nephtali, de Karioth,

tous deux disciples
de Jésus de Nazareth!

La Ville est vide.
Ils ont tous couru
vers la Colline du Crâne
pour jouir de son sang répandu
et de sa mort d'esclave.
Là-haut, la foule grouille,
j'en suis sûr,
comme à chaque fois
qu'un condamné est hissé sur le bois
et fendu sous les clous
de l'implacable justice romaine.

De temps à autre,
j'entends les cris.
Les rires aussi.

Ils sont sortis de la Ville.
Même les prêtres du Temple.

Moi, je suis resté.

Seul.

Il est vrai que je me suis exclu.

Qui voudrait encore de ma présence?

Je ne fais plus partie

ni de leur Ville,

ni d'aucun groupe,

ni de Karioth, mon village,

ni de la foule qui trépigne,

ni de ses compagnons,

ni même de mon peuple

si fier d'avoir été libéré, par Dieu,

de l'esclavage et de l'exil.

Je suis seul.

À jamais.

C'est presque la neuvième heure.

Le sabbat est pour bientôt,

le jour du saint repos,

le jour de la louange.

Pour moi, le jour des ténèbres.

Je me suis jugé:

je vais mourir.

Ce n'est que justice:

j'ai trahi.

Où en est-Il maintenant
mon Maître?

Je sais que tu l'as suivi
là-haut, sur la Colline chauve.
Combien de temps
seras-tu resté
à contempler l'horreur?
Tu finiras bien par rentrer
chez toi
lorsque les grands-prêtres et les autres
auront achevé leur sale travail
de prétendue salubrité publique.

C'est pourquoi je m'apprête
à déposer devant ta porte
ce rouleau de parchemin
que je viens de signer de mon nom.
C'est la porte près du figuier
dont les branches se roulent
sur le linteau.
Comment se fait-il
que toi, si rigoureux,
permettes à ce figuier
de prendre ses aises,
lui évitant la taille

et l'autorisant à danser à ta porte
avec ses feuilles entortillées
qui s'accrochent dans les cheveux
dès que l'on en franchit le seuil?

Depuis l'aube j'écris,
depuis que je leur ai jeté
les deniers du sang
à leurs faces hypocrites.
Mes doigts sont raides,
non pas d'avoir tenu le calame
mais de l'avoir appuyé
sur le parchemin
comme pour y presser
la sève de mon cœur.

Depuis l'aube,
j'écris.
Si les lignes sont irrégulières,
hachées et se chevauchant,
si les lettres se mélangent,
ne m'en veux pas.
Je n'ai plus beaucoup de temps
et les mots se précipitent
en torrent brûlant
s'écoulant brutalement
du sac que je maintiens verrouillé
depuis tellement longtemps
à l'intérieur de moi.

Tu trouveras mon rouleau
devant ta porte.
Tu ne pourras y échapper.
Il est placé
sur le seuil de ta maison
et entouré d'une cordelette en cuir rouge.
La couleur du sang!
Je le mets en évidence,
à ton nom.
Je prévois déjà ta répulsion:
ton nom de pieux compagnon du Maître
mêlé au mien!
Le pur avec l'impur,
l'impeccable avec le traître!
Quelle fange pour toi.

Impossible de ne pas distinguer
mon rouleau,
à moins de jouer à l'aveugle.
Sur lui tu trébucheras:
n'est-il pas objet de scandale?

Prends et lis!
Prends-le dans tes mains.
Touche-le.

Pour toi, Jean,
ce n'est qu'une chose souillée.
Je te connais, Jean,

depuis les jours
où, ensemble,
nous avons marché avec le Maître.
Je te connais, Jean le pur:
pour toi, ce rouleau
est un paquet de malédiction
puisque c'est moi qui l'ai écrit
de ma main.
De mon cœur.
De mon souffle.
De ma vie,
maintenant définitivement rompue.

Je te connais, Jean:
intègre et intransigeant,
toujours à courir
après l'inaccessible pureté
et l'impossible transparence!
Ne nie pas, Jean,
du haut de ton idéal immaculé
tu méprises les autres
qui se démènent chaque jour
avec tant de fumier
qui leur colle à l'existence
et dont ils ne parviennent pas,
malgré leurs incessants efforts,
à se débarrasser.

Je le sais, Jean,
je suis aussi tranchant que toi,
trop agressif et autoritaire
pour accepter des avis différents,
aussi incapable que toi
de supporter les défaillances
de mon entourage
ou d'être trompé une seule fois.
C'est ma part de brutalité.
Le Maître la connaissait
et son regard me ramenait
à la miséricorde!
Je ne suis ni doux
ni humble de cœur, Jean,
ni bon,
j'en ai conscience.

Ne me juge donc pas, Jean!

Te souviens-tu, fils du tonnerre,
du jour où le Maître lui-même
a calmé ton impatience?
Le jour viendra
— mais sans doute devras-tu
d'abord passer par l'épreuve
et l'abaissement —
où tu admettras que rien
n'est d'emblée parfait
et que vivre consiste à laisser

lentement la beauté du Créateur
se saisir de toi
et poser son rayonnement
dans tes mains et sur tes lèvres
et dans ton esprit.

Sinon tu finiras
en irréductible factionnaire
de la pureté
si proche
de la dureté de cœur.
De quoi te protèges-tu, Jean?
De quoi as-tu peur?
D'être contaminé?
Par qui? Par quoi?
Peut-être crains-tu seulement
d'être comme tout le monde,
commun et habituel,
comme les autres,
comme moi,
pécheur et juste,
boueux et radieux,
limpide et crasseux,
violent et fraternel,
inextricablement mêlé?
Est-il tellement important
d'être pur?
N'est-il pas plus important
d'être fidèle

alors que surviennent
fêlures et incompréhensions
et que les scories
déposent chaque jour
leur couche de grisaille
sur l'amour promis?

C'est pourquoi, Jean,
compagnon du Maître
auquel je suis fidèle,
prends ce rouleau et lis.
Et je t'en supplie:
pour une fois ne juge pas!

Au moment
où tu tiendras ce rouleau,
mon corps se trouvera
entre terre et ciel,
mais moi,
je serai avec lui.
Pour toujours.
L'ai-je jamais quitté?

Les mots de ce rouleau
venus de l'abîme
— ne suis-je pas à tes yeux
déjà au pouvoir de la Géhenne? —

sont pour toi, Jean,
toi, le disciple que le Maître aimait.
C'est du moins ainsi
que tu avais coutume de te nommer.
Tu me faisais sourire alors,
comme les jeunes garçons
gonflés de fierté d'être admis
pour la première fois
dans l'enceinte sacrée du Temple.
Tu ne t'en rendais pas compte,
en ce temps-là,
tous les compagnons du Maître
nous amusions,
sans méchanceté aucune,
car tu étais le plus jeune d'entre nous,
de la manière dont tu marchais,
la tête légèrement rejetée en arrière
comme pour affronter un adversaire,
comme pour captiver les regards,
comme pour dire:
«Regardez-moi:
je suis son bras droit!»

Je ne comprends pas encore,
aujourd'hui,
en ce jour d'absolue détresse,
pourquoi tu as continué
à te nommer ainsi:
le disciple que le Maître aimait.

Le fais-tu
par fort sentiment d'élection
à la manière du peuple élu
ou par orgueil
ou par revendication
d'une prédilection du Maître
ou par volonté
d'être assis à sa droite
ou par certitude de ta vocation?
Moi qui n'ai jamais été certain de rien!

Te nommer ainsi
ne relevait pas,
en tout cas,
de l'humilité enseignée par le Maître.
Oseras-tu encore te nommer ainsi
maintenant qu'Il est élevé
sur la Colline chauve,
étiré comme un hibou
sur la porte d'une grange,
maintenant qu'Il est déchiqueté
et que son esprit
s'écoule
en même temps que son sang
de son corps torturé et vidé?

Car le Maître nous aimait tous,
sans distinction aucune,
depuis qu'Il nous avait appelés

chacun par notre nom
pour une nouvelle naissance
et que nous l'avions accompagné
en ne regardant plus derrière nous.
Jamais je n'ai entendu le Maître
nommer quelqu'un,
ni l'un d'entre nous
ni qui que ce soit:
«Toi que j'aime!»
Son amour
était donné à tous:
à ceux qui se pressaient
auprès de lui
pour se réconforter
et à chacun d'entre nous,
ses compagnons:
à Pierre, tellement tête dure,
toujours prêt à défoncer les murailles,
à André, tellement taciturne,
toujours à relever celui qui se fatiguait,
à Jacques, ton frère,
toujours à distribuer le pain
aux affamés
le long de nos interminables chemins,
à Philippe, tellement déluré,
toujours à soulever notre courage
quand nous étions chassés d'un village,
à Barthélémy, tellement accueillant,
toujours à ouvrir notre cercle, compact parfois,

afin que même le plus petit
puisse s'approcher du Maître,
à Matthieu, tellement bienveillant,
toujours à mettre en évidence
ce qu'en chacun il y avait de meilleur,
à Simon le Zélé, tellement astucieux,
toujours à trouver des solutions
quand les obstacles obstruaient nos journées,
à Jacques, fils d'Alphée, tellement généreux,
toujours à alléger les fardeaux
de l'âme et du corps,
à Thomas, tellement vif,
toujours à creuser les paroles du Maître
et à les reprendre en son cœur,
à moi, même à moi,
Judas, celui qui le livra.

Voici donc mon rouleau de traître.

Tu ne peux faire autrement
que de le prendre et de le lire.
Si tu le jettes,
personne, jamais, n'en saura rien.
Sauf le Maître.
Lui saura,
qui t'a lavé les pieds,
qui t'a enlevé la poussière

du corps et du cœur,
et qui t'a demandé
de faire de même,
à son exemple.
Et tu refuserais, toi,
disciple du Maître
qui s'est courbé,
de m'écouter
et de me toucher
par rouleau interposé?

Le Maître m'a cherché
derrière les sacs de blé.
C'était environ la douzième heure.

J'étais commerçant de céréales
et je transvasais le grain
depuis les sacs en jute
jusque dans les boisseaux en bois
que les habitants de Karioth
venaient acheter
afin de cuire leur pain.

C'est là, dans l'appentis si frais,
derrière la maison,
sous les lames du soleil,
c'est là
que le Maître m'a atteint.
La blessure n'a jamais guéri.
Elle est toujours aussi vive,
même aujourd'hui
en ce jour de désolation
et de solitude extrême.

Deux jours auparavant,
à la synagogue de notre village,
je venais, pour mon anniversaire,

de remercier le Créateur
de m'avoir insufflé son haleine de vie
depuis déjà trente et un ans.
J'étais veuf depuis trois ans.
Sarah, ma bien-aimée,
était morte un soir de sabbat,
alors qu'elle se déchirait
pour donner le jour
à notre enfant tant désiré.
L'enfant, le même soir de sabbat,
avait suivi sa mère
sur les ailes de la nuit
vers le shéol.
Avec mes deux aimées,
mon existence a été
définitivement déposée dans la terre.
Ne me restaient que le chagrin
et les cendres froides
de mon foyer déserté.
Des jours et des jours,
des nuits et des nuits,
j'ai pleuré.
De mes larmes et de mon deuil,
rien n'a surgi
que la certitude de la vie
vouée au néant.

Jusqu'au jour
où le Maître est venu.

Le Maître est apparu
à l'entrée de l'appentis
plongé dans la pénombre.
Le soleil irisait sa silhouette
d'une frange de lumière.
Comment pourrais-je oublier
cette image?
En traits de feu,
elle s'est gravée dans ma mémoire.
Rien ne pourra l'effacer.
Même pas la Géhenne.

Sa voix m'a fait
relever la tête.
J'étais isolé dans mon sac!
Sa voix
a arrêté le mouvement de mes mains
enfoncées dans les cascades de grains.
Il a dit mon nom:
«Judas!»

Impossible de bouger.
Mes lèvres étaient figées.
Mon corps était paralysé
et pourtant, sans que je sache pourquoi,
l'envie me tenait de danser.
Le Maître s'est approché.
Son visage
est apparu alors en pleine clarté,
en face de moi.

En face de mon visage.
Jamais je n'ai vu
autant de bonté
prête à l'offrande.
Le Maître a posé sa main
sur ma main
plongée dans le grain
et Il a dit, en souriant:
«Judas!
Avec quel grain
les hommes cuiront-ils le pain
qui apaise toutes leurs faims?
Viens avec Moi
distribuer le grain
qui se transformera
en pain de vie
servi pour le monde entier!»

Depuis la mort de Sarah
et de notre enfant,
j'étais frappé, plus qu'auparavant,
au temps de nos tendresses,
du malheur qui encerclait
mon pays et ses habitants.
Mon propre malheur
me rendait-il plus sensible
au malheur d'autrui?

En tout cas,
depuis la mort de Sarah,
je ressentais davantage la cruauté
du joug imposé par les Romains.
Chaque jour,
ils piétinaient tous nos espoirs.
Rien n'a changé :
ils sont toujours là
avec leurs lances et leurs lois,
avec leur armée et leur arrogance.

De quel droit
sont-ils venus dans notre pays,
s'installant en maîtres absolus,
nous transformant en nation d'esclaves
et décidant de notre vie et de notre mort ?
De quel droit ?

Pourquoi n'est-Il pas intervenu,
le Dieu de nos pères,
le Dieu d'Abraham et de Moïse,
le Dieu de Judith et d'Esther ?
Pourquoi n'entend-Il pas
les cris de son peuple soumis
aux corvées des Romains ?
Pourquoi ne nous retire-t-Il pas
de la servitude
en laquelle ils nous tiennent ?
Pourquoi ne frappe-t-Il pas fort

et ne les châtie-t-Il pas durement?
Nous sommes ses enfants
tellement démunis
et tellement faibles!
Pourquoi ne jette-t-Il pas
les méchants à bas de leur puissance?
Pourquoi ne nous prend-Il pas
tout contre sa joue
comme au temps béni du désert?

Ils étaient partout, les Romains!
Aux carrefours des routes,
à l'entrée des bourgs,
à l'orée des champs remplis de moissons
et même, je les ai vus,
devant le Temple!
Ils frappaient n'importe où,
n'importe quand
et sous n'importe quel prétexte,
le plus atrocement possible,
uniquement afin de nous narguer
de leur redoutable puissance
et de nous ôter toute envie
de relever la tête.

Sans prévenir, ils entraient
dans les maisons,
nous menaçant de leurs glaives
et nous arrachant de force

tout ce qu'ils trouvaient
en paiement d'impôts!
Chaque fois, je distinguais
sur leurs traits
la cruelle impatience,
au moindre de nos refus,
de nous clouer au mur
avec leurs longs javelots.

De quel droit
nous obligeaient-ils,
chez nous,
à garder la tête baissée
afin de fixer leurs bottes
recouvertes de notre sang
et de la poussière de notre pays?
De quel droit
paradaient-ils
chez nous,
sur la terre héritée de nos ancêtres?

Je n'ai jamais accepté
que les Romains
exécutent notre liberté
et nous réduisent
à l'obscurité de l'angoisse.

Je me souviens parfaitement du jour
où, enfant,

je leur lançais des cailloux.
Avec quatre autres enfants de Karioth,
nous avions, depuis des jours,
amassé des pierres tranchantes
derrière le muret
qui longe la route vers Jérusalem.

Quand la patrouille romaine a passé
nous nous sommes, tous les cinq,
dressés, d'un seul mouvement,
David contre Goliath,
et nous avons jeté nos pierres
sur les soldats casqués
qui progressaient, fatigués, sur la route.
Avec eux, ils traînaient Yotam,
le forgeron du village voisin.
Le prisonnier, méconnaissable,
était couvert de saleté et de sang.
Ses mains étaient liées derrière sa nuque.
Il tombait sans arrêt
et les soldats le relevaient
à coups de pieds et à coups de glaive.
J'ai vu les yeux de Yotam
posés sur nous
et qui nous fixaient:
il n'était pas vaincu.
Yotam, chacun le savait au village,
avait rejoint les zélotes
qui organisaient la lutte

contre les Romains
et qui, régulièrement, les attiraient
dans de sanglantes embuscades.
Les soldats avaient pourchassé Yotam
depuis trois jours
à travers les collines arides
qui servaient de refuge aux résistants.
Grâce à un indicateur,
ils avaient fini par le découvrir
au fond d'une grotte de bergers.
Grâce à un traître.
Comme moi.

L'un des soldats
avait été blessé au front
par une de nos pierres.
Que pouvaient des enfants
contre les soldats de l'empire d'Auguste?

Mon ami Nathan a été arrêté
et, le soir même,
dans la cour de son père,
le corps de Nathan gisait,
désarticulé.
Son ventre n'était qu'un trou
noir de sang coagulé.

Comment oublierais-je
l'indifférence des soldats
qui avaient transpercé mon ami?

De tout mon être,
j'attendais la consolation de mon peuple.
De toute mon espérance,
de toute mon inquiétude,
j'attendais que vienne le Promis
annoncé par les prophètes,
l'Oint du Seigneur,
afin qu'il fasse droit
aux malheureux de son peuple,
qu'il écrase l'oppresseur
et que son règne dure
de génération en génération
sous le soleil et la lune
et qu'il fasse fleurir la justice
avec la grande paix
jusqu'à la fin des lunes !

L'Annoncé, le Promis,
je le savais à cet instant précis,
se tenait
à l'entrée de ma grange !
L'Oint du Seigneur
s'adressait à moi
et sa Parole m'atteignait
en plein cœur.
L'espérance était à ma porte.
Elle avait son visage !

Elle parlait par sa bouche!
Dans ma grange de pénombre,
l'espérance chantait
la bonne nouvelle portée aux pauvres,
la libération des captifs,
le retour à la liberté des opprimés,
la vue rendue aux aveugles
et le temps de grâce
que le Très-Haut réalisait
pour tous ses enfants
gémissant de détresse!

Alors,
sur les sacs entrouverts,
j'ai déposé ma pelle à grains.
J'ai fermé l'appentis
et j'ai suivi le Maître.

À la sortie du village,
à l'ombre du vieux sycomore,
vous étiez, déjà, onze
à attendre.
J'étais le douzième.

Le Maître,
te rappelles-tu, Jean,
nous parlait sans arrêt
alors que nous marchions
à travers la Galilée, la Samarie et la Judée.

Il nous éveillait.

Des caveaux gris
où nous bâtissions notre existence,
Il nous hissait vers sa lumière.

Le Maître
nous faisait grandir.
Il nous éduquait
à penser et à regarder
et à agir
à sa manière.
Il nous transfigurait
à son image.
En nous, mystérieusement,
sa joie coulait, discrète, silencieuse
mais puissante,
comme ces sources jaillissantes
qui nous rafraîchissaient, le soir,
après la poussière et le vent.

Avec le Maître,
c'était comme une nouvelle naissance.
Nous sommes devenus autres.
Régénérés.

Ce jour-là, à Cana,
le Maître,
au mariage d'un de ses amis d'enfance,
a changé l'eau en vin.
À part Marie, la mère du Maître,
et Josaphat, le marié,
peu de personnes ont remarqué
quoi que ce soit.
Nous, ses compagnons,
étions bouleversés.
N'était-ce pas le premier miracle
que le Maître accomplissait?

Pour moi,
Cana
a été un jour d'intense bonheur.
Désormais, j'étais sûr
d'avoir pris la bonne décision
en suivant le Maître.

À Cana,
le Maître a dévoilé
ce que sera le monde
lorsque enfin son Royaume
sera instauré sur la terre.

Le monde sera une fête

où, comme à une noce,
la place de chacun sera réservée
à la table somptueusement garnie,
où les portes de la salle du banquet
resteront grandes ouvertes
afin que chacun
puisse entrer et sortir
à son gré,

où la meilleure joie,
celle que rien ne peut diminuer,
coulera en abondance
dans les coupes tendues
de chaque convive,
où Dieu lui-même
sera assis à table
au milieu de tous les invités,
mangeant et buvant avec eux,
et, même, passant au milieu d'eux
pour les servir à profusion
afin que, jamais,
ils ne manquent de rien,

où chacun prendra plaisir
à être assis à côté de son voisin
et où il ne sera question d'aucune préséance
ni d'aucun titre de grandeur,

où les belles parts seront présentées
à chacun,
sans qu'il soit tenu compte de sa condition,
de son argent ou de son origine,

où les humains,
transformés et renouvelés,
changés,
comme l'eau en vin,
débarrassés de leur mal,
de leurs infidélités et de leurs compromissions,
se lèveront et apparaîtront
dans la stature de beauté et de fraternité
dans laquelle le Créateur les a modelés,

où la matière même,
le monde jusqu'en son cœur
et ses éléments,
seront orientés
vers l'unique service de tous.

J'en avais claire conscience
ce jour-là:
à ce mariage à Cana,
quelque chose commençait.
Le Maître en avait publiquement
donné le signe.

Avec le Maître,
le chemin était la vie
de tous les jours.

Il marchait.
Il ne s'arrêtait jamais très longtemps.
De temps à autre,
en plein soleil de midi,
il s'arrêtait près d'un puits
ou encore à l'entrée d'un village,
à l'ombre d'un arbre,
juste de quoi se reposer,
parfois en s'allongeant quelques instants
la tête posée sur une pierre,
et reprendre des forces pour continuer.

Comme s'Il était constamment pressé
d'aller jusqu'aux extrémités de la terre,
comme s'Il manquait de temps,
comme s'Il avait hâte
de rencontrer le plus grand nombre
d'hommes et de femmes,
comme si en lui
la Parole se bousculait
pour sortir de ses lèvres,

livrer des secrets qui l'habitaient
et courir vers ceux qu'Il croisait.

Mais il suffisait
que quelqu'un vienne
vers le Maître
pour lui poser une question
ou lui demander de l'aide.
Alors le Maître s'arrêtait
et prenait tout son temps
comme si rien d'autre ne comptait
que l'homme ou la femme
qui se tenait en face de lui.
Que s'approche un enfant,
et le Maître,
même s'Il était en train de parler
avec des responsables de synagogue
ou des chefs de village,
laissant là les grands,
arrêtait toute discussion
et nous rassemblait autour de l'enfant
et, à chaque fois, en souriant,
Il prononçait les mêmes mots:
«Soyez comme des enfants!
Sinon comment recevrez-vous
la tendresse du Père qui est aux cieux?»

Le Temple
malgré ses splendeurs et ses cris d'animaux,
malgré ses processions
et ses foules qui se pressaient
en quête de salut et de prières exaucées,
m'a toujours inspiré trouble et malaise.
Trop riche, trop ostentatoire.
Trop imposant. Trop prétentieux.

Dieu avait-Il vraiment besoin
de ces ors et de ces fumées d'encens
pour être reconnu et adoré?

Trop de lévites, trop de prêtres
se pavanant dans la vanité
de leurs habits brodés.
Pourquoi filtraient-ils les entrées?
Dieu n'était-Il pas à tout le monde?
Dieu avait-Il vraiment besoin
de ces serviteurs-gardiens
imbus d'eux-mêmes et de leur rôle?

Ce jour-là,
comme à chaque fois
que la Pâque approchait,

le Temple et ses environs
étaient devenus un fouillis indescriptible.

Jésus marchait
en tête de notre groupe.
Te rappelles-tu, Jean?
Comme s'Il avait été appelé.

Nous sommes arrivés sur le parvis du Temple.
Quelle foire!
Une place de commerce!
Des pigeons, des moutons,
des chèvres et même des jeunes taureaux.
Et l'odeur!
J'entends encore les vendeurs de bestiaux:
«Un sacrifice
qui ne vous reviendra pas cher!
Deux sacrifices pour le prix d'un!»

Derrière leurs petites tables,
les changeurs d'argent
accumulaient les bénéfices.
En effet, les gens arrivaient
avec toutes sortes de monnaies étrangères
qu'il fallait échanger,
car, pour acheter,
seule comptait la monnaie
qui avait cours ici.

Les prêtres et les lévites
surveillaient l'ensemble,
en maîtres apportant leur caution,
d'autant plus que les uns et les autres,
acheteurs et vendeurs,
remplissaient les caisses du Temple,
et sans doute aussi les leurs!

Jamais, par la suite,
je n'ai vu le Maître
dans un tel état.
Comme si d'un coup
l'orage le submergeait!
Comme si, en lui,
la tempête s'abattait brutalement.
Il était devenu un concentré de colère.

Sans dire un seul mot,
je l'ai regardé à ce moment précis,
Il a pris la corde épaisse
qui entravait deux taureaux.
Il l'a levé,
à la manière d'un fouet.
Il l'a fait claquer
dans les jambes des marchands.
Il a renversé les tables des vendeurs.
Il a traversé toute la place,
d'un bout à l'autre,
en diagonale et le long des murs,

et Il lançait en avant sa corde.
De ses mains,
Il jetait à terre les paniers de monnaie
et Il libérait les chèvres et les brebis
et Il ouvrait les cages des pigeons.

Dans la foule,
ce n'étaient que clameurs et cohue,
poings levés et hurlements!
Le Maître se dressait
au milieu de la place.
Son visage, à ce moment-là!

D'un seul coup
le silence s'est posé
sur le parvis du Temple.
Alors, calmement, sans élever la voix,
le Maître a dit:
«Enlevez tout cela d'ici.
Dehors!
Ne faites pas de la maison de mon Père
une maison de commerce!»

Puis Il a jeté sa corde
devant un groupe de prêtres et de lévites
dont les vêtements et la coiffe étaient défaits
et qui se mettaient à crier au blasphème.
Le Maître les a considérés
et leur a dit:

«Le zèle de la maison de Dieu
vous dévore-t-il?»

Et, sans un mot de plus,
Il s'est détourné
et Il est sorti du Temple.

Nous, nous étions alignés
le long du mur extérieur du Parvis,
ébahis et emplis de crainte.
Qu'avait-il fait, le Maître?

Dans mon esprit
un voile se déchirait:
nous allions vers Dieu
par des chemins erronés.
Nous pensions le capter
avec nos sacrifices et nos rutilances.
Le Maître ouvrait une voie nouvelle!
C'en était fini avec les holocaustes.
Désormais,
c'est en esprit et en vérité seulement
qu'il fallait adorer le Créateur!

Ce jour-là,

aux pauvres qui, faute d'argent,
n'obtenaient jamais le luxe

de se payer Dieu
par l'intermédiaire de sacrifices achetés,

aux humbles
qui s'approchaient de Dieu en tremblant
avec, pour seul encens,
les mots de leur dénuement
et qui se contentaient de le bénir
en tout temps,
sa louange sans cesse sur leurs lèvres,

à ceux qui ne possédaient rien
que leur esprit brisé
et qui, du fond de leur esprit abattu,
appelaient Dieu
en mettant en lui leur refuge,

aux orgueilleux,
persuadés de détenir
les clés
des portes ouvrant sur le Créateur
et qui édictaient
les prix précis à régler
pour obtenir la permission
de s'approcher du Saint
en vue de quémander ses faveurs,

ce jour-là
le Maître révélait publiquement

que Dieu ne répond
ni aux sacrifices
ni aux cantiques répétés
mais uniquement à l'amour
désespérément tendu vers lui!

Pourquoi les humains
devraient-ils utiliser des mots précis,
s'agenouiller en des lieux qualifiés,
répéter des gestes déterminés
pour s'approcher du Très-Haut,
et, de leur cœur brûlant,
laisser monter vers lui
l'humble louange
de ceux qui toujours sont en exode
vers les terres de liberté?

À ce sujet, Jean,
comme sur tant d'autres,
nous n'avons jamais été d'accord!
Pourquoi m'as-tu toujours considéré
comme un déviant?

L'attachement au Très-Haut
n'est-il pas libre et joyeux,
se jouant des codes et des cérémonials,
même religieux?

Tu le sais aussi bien que moi.
Notre Maître s'est toujours tenu
à l'écart des protocoles religieux
instaurés par des factionnaires zélés

cherchant à réglementer
l'adoration du Très-Haut.
Le Maître, lui,
cherchait à éveiller en chacun
le désir
de se tenir devant le Très-Saint
en jouant, sans manière codifiée,
la musique issue de ses profondeurs.

Sans doute est-ce pour cette raison
que le Maître
s'est assis auprès de la Samaritaine
sans prendre en compte
la coutume exigeant
que jamais un homme bien-né
et bien instruit des détails de la Loi
ne s'affiche en public
avec une femme,
inconnue qui plus est.
Il se moquait malicieusement
de nos regards réprobateurs!

Le soleil était cloué
au milieu de sa course
et la margelle du puits
vibrait de chaleur.
À quelque distance de là,

un petit sycomore
jetait une ombre fluette
en laquelle nous, les Douze,
cherchions un illusoire refuge
contre la fournaise de midi.

Pourquoi le Maître
demeurait-Il là,
auprès de cette femme?
La connaissait-Il?
Était-elle une envoyée?
Par qui? Pour quoi?

En tout cas,
Il prenait son temps,
visiblement heureux,
comme lors d'une rencontre
longtemps espérée.
Qu'avait-Il de tellement important
à lui confier,
à cette Samaritaine au mauvais genre,
pour qu'Il oublie
qu'un instant auparavant encore
Il nous pressait vers la Judée
où Jean-Baptiste
versait l'eau de la conversion?

Jésus parlait, la femme écoutait.
La femme parlait, Jésus écoutait.

De sous notre malingre sycomore,
nous n'entendions pas les paroles
qu'ils échangeaient, à l'écart.
Épuisés et couverts de poussière
par le chemin parcouru,
nous ne rêvions que d'ombre
et d'eau jaillissante et fraîche.

Toi seul, Jean, je m'en souviens,
suivais, fasciné,
les mots que Jésus et la femme
s'offraient l'un à l'autre.

Quand donc le Maître
achèverait-Il sa conversation?
Qu'enfin nous puissions
nous approcher du puits,
toucher la fraîcheur
et ne plus être taraudés par cette soif
qui nous anéantissait!
Mais le Maître n'avait d'attention
que pour cette Samaritaine.
Nous n'existions plus!
À un moment,
Il s'est penché vers elle,
tout près de son front.
Calmement,
d'un geste d'une extrême douceur,
comme le jour

où Il avait posé sa main
sur la tête de l'enfant
qu'Il avait placé au milieu de nous,
Il a effleuré, lentement,
la joue de la femme.

Je l'ai vu:
Il essuyait ses larmes.
La femme n'a pas bougé,
sinon un frémissement sur ses lèvres.
Ses yeux étaient accrochés au Maître.
Que voyait-elle donc
sur le visage de Jésus
pour le contempler ainsi,
sans retenue,
comme pour le saisir?

Peu après, la femme s'est relevée.
Elle était belle.
Et légère,
comme si, à terre,
elle venait de déposer
un lourd fardeau.
Elle a pris la cruche
encore vide à côté d'elle.
Au bout de la corde,
elle l'a fait glisser dans le puits.
Moi qui avais tellement soif,
je voyais distinctement

l'eau claire qui débordait
lorsqu'elle a remonté la cruche.

Elle a soulevé la cruche pleine
pour l'offrir au Maître
et elle a dit: «Bois!»

Le Maître est venu vers nous
et nous a présenté la cruche.
À chacun à tour de rôle,
Il donnait la fraîcheur!
Après seulement, Il a bu à son tour.

Nous nous sommes approchés du puits,
sous le soleil.
Nous avons entouré la femme.
Alors le Maître nous a dit:
«Vous avez soif, je le sais.
Je suis l'eau vive.
Prenez et buvez
l'eau que je vous donnerai.
En vous elle sera source jaillissante
et aucune aridité ne pourra la tarir!»

Sans dire un mot,
la femme a posé la cruche sur sa tête
et s'est préparée à partir.
Jésus lui toucha légèrement le bras
en disant:
«Pour Dieu,

le visage ne compte pas,
mais l'esprit seul et la vérité.»

Alors la femme est partie vers Sychar.
De loin sa démarche
ressemblait à une danse.

Me sera-t-il donné, mon Maître,
lorsque j'aurai traversé
la sombre vallée de détresse,
de boire encore
l'eau vive de tes Paroles
et de ton visage?

Peu de temps après,
nous sommes arrivés à Jérusalem.
Quelle foule!
Que venait-elle chercher ici?

Tu sais, Jean, à quel point
je détestais
les rassemblements et les cohues,
même au temps de la Pâque!

Les foules ne demandent
qu'à s'incliner et qu'à crier.
Pourquoi fallait-il se masser ainsi
près des Lieux saints?
Le grand nombre
augmentait-il la foi de chacun?
La louange d'une cohue
montait-elle plus facilement
vers le Très-Haut
que la voix ténue d'un seul?
Peut-être chacun dans la masse
cherchait-il tout simplement
à se rassurer et à se réconforter
en se serrant contre d'autres,
inquiets et en attente
comme lui-même?

Ou alors, en ces jours de fête,
la foule manifestait-elle la puissance
qui lui venait
non seulement du grand nombre
mais de l'assurance
d'avoir Dieu à ses côtés?

En ce matin de ténèbres où je t'écris,
plus que jamais
j'ai peur de la foule!
D'ici, je la vois,
hurlante et haineuse.
À cause de moi.

Où était passé le Maître?
Tout à coup, nous l'avons vu
sur un des murs escarpés
qui entouraient la place
devant le Temple.

J'ai joué des coudes
et je me suis retrouvé
près de l'endroit
où se tenait le Maître.

Un marchant ambulant
qui proposait ses coupes d'eau

m'a bousculé en maugréant.
Je voyais le Maître debout,
visible de partout.
Il promenait son regard
sur la foule, sur les gens.
Il me faisait penser à un berger
rassemblant ses brebis
dispersées à tous vents.
À côté de moi,
un enfant l'a désigné du doigt.
D'autres ont ri en criant:
«Descends de ton perchoir!»
Quel rabbi enseignerait
du haut d'un mur
comme un commerçant de foire?

Alors Jésus a lancé d'une voix forte:
«Si quelqu'un a soif,
qu'il vienne à Moi
et qu'il boive,
celui qui croit en Moi!»

Qui, dans la foule, l'a écouté?
Qui a reçu ses Paroles?

Le Maître faisait allusion
aux multiples déserts

dans lesquels les humains
se desséchaient
à cause de l'injustice,
à cause de la liberté bafouée,
à cause de la pauvreté,
à cause du chagrin et du deuil,
et surtout à cause de la mort
qui les diluait dans le néant!

Mais je le voyais bien:
mon Maître
parlait pour les pierres.

Ils avaient des oreilles
et ils n'entendaient rien!
Leur esprit était ailleurs.
Ils étaient assoiffés,
tous agglutinés sur cette place,
avec leurs existences arides.
Ils avaient soif
et ils ne le savaient même pas!
Pourquoi se contentaient-ils
de l'eau stagnante
s'écoulant de citernes lézardées
au lieu de tendre
leurs mains et leur cœur
vers la source vive
qui jaillissait, là,
au milieu d'eux!

Jamais le Maître
n'a repoussé quelqu'un
venant s'adresser à lui.
Quelle que soit l'heure,
quelle que soit la raison.
Il ne restait insensible
à aucune demande
quel que soit le demandeur!

Comment faisait-Il, le Maître,
pour demeurer ainsi,
malgré la fatigue,
attentif et en accueil
sans manifester d'impatience?

C'est pourquoi maintenant,
alors que j'ai trahi
et que je me prépare à l'épouvante,
je le crois,
je l'espère
de toute mon âme désolée:
mon Maître,
qui connaît le secret de mon cœur,
me recevra en sa présence
et je le sais,
à nouveau me prendra avec lui!

Nul besoin d'être de ses proches,
de son sang, de sa famille,
de son village, de ses disciples
pour accéder à lui.

Souviens-toi, Jean,
ce soir-là à Cana.
Toi et moi
étions tout près du Maître,
alors que les habitants de Cana
étaient venus pour le féliciter
et lui faire fête.
Pour une fois,
le Maître était reçu avec égard
par les siens.
D'habitude n'étaient-ce pas
les regards narquois et les railleries?

Dans le brouhaha,
un officier d'Hérode,
sans doute affecté dans le secteur,
s'est glissé près du Maître.
Il était richement vêtu,
mais quelle tristesse l'enveloppait!
Comme un linceul sur son visage.
Il a chuchoté à Jésus
— nous l'avons entendu —

«Viens! Viens,
mon petit va mourir!»

Discrètement, le Maître lui a dit:
«Va, ton fils vit.»
Nous avons appris dans la soirée
que l'enfant jouait
près de la fontaine du village.

Voilà pourquoi, dès le début,
j'ai aimé le Maître.
Non seulement Il voyait les inquiétudes
mais Il ressentait les peines
de ceux qui venaient à lui.
Il ne pouvait supporter
que quiconque soit accablé de détresse
sans le redresser
et l'établir dans la joie espérée.

Avec le Maître,
il suffisait d'être perdu,
au bord du vide et désolé,
et de s'en remettre à lui
avec confiance
pour être libéré
de n'importe quel suaire de souffrance!

C'est pourquoi, Jean,
je le crois
même en ce moment
où je me condamne à la Nuit:
comme un semeur
parcourant inlassablement ses sillons,
le Maître est venu semer le salut
dans nos corps et nos cœurs!

Jérusalem est une ville étrange.
Entre lumière et ténèbres,
entre lèpre et santé.
À cause du Temple
que leurs ancêtres ont bâti en son sein,
ses habitants s'estiment supérieurs
aux autres hommes.
Quel orgueil en cette ville!
Ils l'appellent la Ville sainte!
Dieu seul est Saint!
Quelle ville,
quel peuple osent la profanation
de se déclarer élus
et saints du Très-Haut
sous prétexte d'abriter
le Temple du Dieu trois fois Saint?

Nous avions beaucoup marché
les jours précédents
et, nous les Douze, avec les femmes
qui nous accompagnaient,
étions fatigués et aspirions au repos.

Souviens-toi , Jean,
comme il faisait bon s'arrêter
et goûter aux plaisirs des ruelles ombragées
saturées de fruits et d'épices
étalés sur les comptoirs des marchands!

Mais notre Maître n'était jamais fatigué.
D'où lui venait cette énergie?

Ce matin-là était jour de sabbat.
Le Maître nous entraîna
à la piscine de Bezatha,
celle qui est entourée de cinq portiques.

Quel rassemblement en ce lieu!
Aveugles, boiteux, impotents,
corps décharnés et recroquevillés,
atrophiés,
se serraient les uns contre les autres.
Tous ces yeux vides,
ces visages tordus,
ces cœurs brisés,
tous ces esprits humiliés,
tous ces corps loqueteux
criaient vers le Très-Miséricordieux,
plus que tous les sacrifices et holocaustes
et que toutes les fumées d'encens!

Le Maître était venu les rejoindre.
Ici
était le Temple
de la souffrance humaine!

Tant de douleur, tant d'espérance.
Tant de désespoir!

Ils avaient été déposés là
par leur famille,
paquets abandonnés,
délaissés aux bons soins d'un ange
qui, paraît-il, passait sur l'eau y provoquant
des bouillonnements guérisseurs.

Nous hésitions à avancer
et à nous faufiler
entre cet agglutinement de maladies
étalées sans pudeur,
avec leurs remugles repoussants
rendant l'air irrespirable.
Instinctivement, nous avons plaqué
la main sur notre bouche.

Le Maître, lui,
paraissait chez lui, ici,
comme s'Il y venait chaque jour.
Il avançait parmi eux,
se penchant sur eux,

leur prenant la main
ou posant sa main sur l'un ou l'autre,
comme une douceur.
Certains, avec attente,
levaient vers lui leur regard.

Jésus s'est arrêté près d'un enfant,
tout rabougri et noué,
respirant avec peine.
Près de lui, Il s'est agenouillé
et a pris sa tête tout contre lui
en lui murmurant des mots.
Le Maître est resté ainsi un long moment.
Quand Il s'est relevé,
l'enfant souriait.

Nous suivions Jésus de tout près,
de crainte de nous perdre
au milieu de toute cette misère
disposée là comme un fruit pourri.

D'un coup, sans prévenir,
le Maître s'est arrêté
près d'un homme allongé
sur un grabat bancal.
Il était paralysé depuis trente huit ans.
Je l'ai entendu
quand il l'a dit au Maître.
«Veux-tu guérir?»,

lui demanda Jésus à voix basse,
et le paralytique a répondu,
comme dans un cri expulsé
du fond de sa détresse:
«J'attends depuis si longtemps,
mais personne
ne me dépose dans la piscine
lorsque l'eau se met à bouillonner!»

Jésus lui a dit,
comme quelqu'un qui commande:
«Lève-toi!
Prends ton grabat et marche!»
C'était la première fois
que nous surprenions
une telle autorité
dans la voix du Maître.
À l'instant même,
l'homme s'est levé,
guéri.
Il est parti en portant son grabat!
Il riait!
Oui, il riait!
En désignant son grabat,
il s'adressait aux uns et aux autres,
tout à la ronde,
en montrant Jésus.

J'avais perdu Jésus de vue.
Il s'était éloigné,
comme Il le faisait souvent.
Il avait guéri.
Il avait fait son travail.
Il se mettait au silence.

Je me suis approché du paralytique guéri.
Il était entouré de quelques hommes
qui le harcelaient.
En les écoutant,
j'ai compris immédiatement
qu'il s'agissait de ces zélateurs
qui, pour manifester
leur prétendue religion,
n'arrêtaient pas, d'un air onctueux,
de rouler sur leurs lèvres
le Nom de Dieu et ses commandements.
«Personne n'a le droit de guérir
un jour de sabbat!»
Mais le guéri s'exclamait, hilare,
en répétant seulement avec exultation:
«Le sabbat est un excellent jour
pour sortir de la maladie!
C'est lui qui m'a guéri!»

Un peu plus tard,
les mêmes s'en prirent au Maître,

toujours pour cette histoire de sabbat.
Quels hypocrites!
Ils auraient voulu que le paralytique
reste rivé sur son grabat
sous prétexte de sabbat à respecter!

Comment pouvaient-ils seulement imaginer
que Dieu accordait sa préférence
aux souffrants
plutôt qu'au sabbat?
Quel était donc leur Dieu?
Aucun sabbat,
aucune loi
ne justifient
un seul jour de souffrance!
Ils étaient enfermés
dans les détails d'une loi.

Jusque dans le Temple,
ils ont poursuivi le Maître
de leurs récriminations.
Comme si ce Lieu de Dieu leur appartenait.
Comme si Dieu en personne
leur avait confié la périlleuse mission
d'être ses infaillibles gardiens!

Le Maître était à genoux
et priait un peu plus loin,
en silence.

Ils ont entouré Jésus
comme pour l'encercler.

Se redressant, face à eux,
avant même qu'ils n'ouvrent leur bouche,
le Maître a dit:
«Moi,
je travaille comme mon Père.
Comment pourrais-je me reposer
alors que les hommes souffrent
et se débattent dans les griffes
des pouvoirs mauvais?
Comment pourrais-je me reposer
alors que la tristesse
s'est emparée des cœurs,
les éloignant de la joie
que mon Père a préparée pour tous,
malades et bien-portants?»

À ce moment-là, dans le Temple,
me vint l'envie de chanter
le Grand Hallel!
Jamais, aucune loi,
aucun pouvoir, aucun zélateur,
rien ne pourrait empêcher mon Maître
de libérer mon peuple de ses souffrances,
de ses chaînes,
de ses grabats de malheur.
Mon Maître venait déposer l'allégresse

entre les mains des paralysés,
des abandonnés,
des tordus de l'existence.
Il venait pour les mettre debout
et les encourager:
«Marchez!»

Ô mon Maître!
Il venait libérer la vie!

C'est avec la femme adultère,
en cette fin d'après-midi
alors qu'Il revenait
du Mont des Oliviers,
que le Maître emporta ma foi!

Vers quatre heures, dans le Temple,
j'ai vu et entendu mon Maître
mettant en évidence publiquement
l'hypocrisie des comportements légalistes
pratiqués par certains prétendus justes,
et poser les fondements
d'une justice nouvelle!

Toi et moi, Jean,
étions assis tous les deux
de part et d'autre du Maître
sur l'un des bancs scellés
dans les murs de la cour du Temple.
Les autres, du groupe des Douze,
s'étaient dispersés dans la foule.
Ils n'ont rien vu
de ce qui s'est passé avec la femme.

Qu'il faisait doux ici,
avec le Maître,

à goûter ensemble, en silence,
la fine lumière dorée
qui se coulait
sur les larges pierres taillées!
Je me sentais léger
et je savourais le bonheur
de la présence sereine du Maître
dans cette lumière de fin du jour
qui semblait couronner le monde.

Tout d'un coup
— je vois encore leurs grimaces
et leurs bouches tordues de cris —
des hommes, une dizaine,
s'approchèrent du Maître en gesticulant.
Quelques-uns d'entre eux
levaient le poing,
prêts à frapper.
D'autres, plus vieux,
les plus nombreux,
affichaient le plaisir visible
de tous les zélateurs imbus
d'eux-mêmes et de leurs certitudes.
Ils jouaient aux vieux
— toi aussi tu l'as remarqué, Jean,
car un bref instant
nous nous sommes regardés —
qui exigeaient d'être obéis
à cause des années accumulées.

J'avais déjà été au contact
de cet orgueil des vieillards.
Il cache la dureté
et la volonté
de rattraper les années enfuies
par l'exercice de la puissance.

Un groupe de fureur.
Ils empestaient la malveillance et la mort.
Quand j'ai vu les pierres
dans leurs mains,
la peur m'a saisi
et j'ai failli me lever
pour m'éloigner de cette haine
en courant.

Lorsque j'ai vu la femme,
j'ai compris immédiatement.
Elle était jeune, vingt ans à peine.
Ses longs cheveux frisés
lui tombaient sur le visage
tout mouillé de larmes
et de crachats aussi.
Sans aucun doute la traînaient-ils
depuis longtemps.
Sa robe était en lambeaux
et elle avait dû tomber,
car ses coudes et ses jambes
étaient zébrés de larges égratignures.

Mais dans ses yeux,
aucune crainte.
Elle savait pourtant
ce que ces enragés comptaient lui faire
en toute légalité.
Fermement, elle regardait
l'un après l'autre,
tout droit, en face,
d'égale à égal.
Elle les connaissait tellement,
ces hommes,
ces pieux époux,
ces chastes célibataires
avec leurs désirs masqués.
Ils paradaient ici, devant elle,
vertu et moralité étalées,
défenseurs des liens sacrés,
mais soudés
à tant de passions inavouécs
et toujours à lorgner les femmes d'autrui
et à les caresser
en longs regards furtifs!
Elle les connaissait tellement,
ces hommes,
prêts à la lyncher
afin de tuer en eux
leurs secrètes envies d'infidélités.

Comment auraient-ils pu supporter
qu'une femme, adultère de plus,
leur résiste?

Jean, te souviens-tu de la suite?
Le Maître n'a rien dit.
Il a simplement posé ses yeux
sur la femme,
en souriant.
Les autres, les gardiens,
les implacables factionnaires de la Loi,
ont poussé la femme tout contre lui,
afin de l'obliger à se prononcer
officiellement
en faveur de sa lapidation.

Jésus ne disait toujours rien.
De son doigt, Il écrivait seulement,
sur le sol.
Quels signes mystérieux,
quels mots issus de son cœur?
Quel message et destiné à qui?
Les premières lettres d'une loi nouvelle?

Les autres ont continué
à éructer de plus belle,
à bousculer la femme
en criant que la Loi était la Loi
et que cette femme était une pécheresse,

qu'elle avait dévié un époux fidèle
de ses promesses,
qu'elle était un sale exemple pour tous,
qu'elle courait après les hommes
et qu'il fallait punir sans pitié
son comportement débauché!

Alors Jésus s'est levé.
Son visage
était parfaitement immobile.
Comme figé.

Il les a fixés
et de ses lèvres sont tombés des mots
plus pesants et plus coupants
que leurs cailloux:
«Que celui qui n'a jamais péché
lui jette la première pierre.»

Quel silence à ce moment précis!
Comme si les mots du Maître
les avait transformés en statues de sel!
Et, sans rien ajouter,
le Maître s'est baissé à nouveau
pour écrire encore sur le sol.

Ai-je bien lu, Jean?
Tout allait tellement vite,
et le doigt du Maître

traçait si légèrement
des lettres invisibles
que j'avais du mal à suivre.
Mais je me souviens
des deux premiers mots invisibles
effacés avant même d'être lus:
«Tu aimeras…»

Ces mots-là, Jean,
aujourd'hui, en ce jour terrible,
deviennent mon viatique.
Je les emporte,
serrés en mon cœur,
à travers le ravin désolé qui m'attend.

Tout s'est terminé très vite,
comme sur la pointe des pieds.

C'est la seule fois,
de toute mon existence,
où j'ai vu des visages
se fissurer et perdre leur masque.
L'unique fois, Jean,
où j'ai vu la haine
tomber des mains crispées,
se fragmenter et glisser
comme une pierre au fond du puits!

Il a suffi d'une parole
et d'un geste du Maître!

Ont-ils compris,
ceux qui sont partis,
ce qu'Il avait accompli,
mon Maître, en leur présence?
Engoncés dans leurs parti-pris,
ont-ils compris
que Jésus ne réduisait personne
à sa faute?
Qu'Il écrivait dans les cœurs
une loi nouvelle
ne condamnant personne
à la punition et à la mort,
mais l'arrachant au mal,
écartant la souillure
et redressant
dans la dignité renouvelée?

Pleinement consciente
de ce qui se passait,
la femme n'avait pas bougé.
Le Maître s'est approché d'elle.
Il a pris les deux mains de la femme

entre les siennes.
Pourquoi ai-je pensé alors
à un oiseau affolé
qu'Il voulait rassurer?
Puis, Jésus ouvrit ses mains,
libérant les mains de la femme
en disant:
«Je ne te condamne pas.
Va, ne pèche plus.»

La femme s'est inclinée.
Quand elle s'est relevée,
il n'y avait plus traces de crachats
sur son visage.

Je n'aurais jamais pensé
que la joie détenait la puissance
d'affleurer ainsi dans les yeux
et de déposer un telle beauté
sur un visage!

J'ai revu la femme, Jean,
quelques semaines plus tard.
Elle se tenait en retrait,
derrière un olivier,
lorsque, sur la colline,
le Maître parlait du paradoxal bonheur

auquel Il nous conviait.
Et
— combien de fois cette image
m'est-elle revenue à l'esprit —
alors que le Maître disait:
«Heureux les doux,
heureux les purs,
heureux les miséricordieux…»,
elle,
elle fermait les yeux,
écoutant,
rieuse et apaisée à la fois!
Elle se tenait toute droite,
les mains le long du corps,
légèrement ouvertes,
comme si elle percevait
une musique
portée par les anges
et tout droit venue du ciel!

Alors qu'en toute hâte
je t'écris, Jean,
car la Nuit déjà déploie son armée,
j'entends l'écho lointain
des huées vomies par la foule.
Combien de temps encore
seront-ils sourds et aveugles,
fermés à sa Parole
et à sa lumière?

Deux jours avaient passé
depuis la rencontre avec l'adultère.
Le crépuscule approchait.
Je me rappelle clairement
les marchands rangeant leurs éventaires.
Je vois encore l'enfant,
tout penaud,
qui avait renversé un cageot de figues
et qui, en voulant s'échapper,
était retombé
dans une corbeille remplie
d'épices rouges.
Le souvenir de son air éberlué

longtemps après encore
déclenchait le rire dans mon cœur.

Il me fallait quitter le Temple.
Il était temps pour le Maître
et pour nous
de quitter le Temple
où nous venions de passer l'après-midi.

L'enseignement du Maître
amenait à lui
une foule de plus en plus attentive.
Les prêtres, les lévites
et les gardiens officiels de la Loi
voyaient d'un œil mauvais
son influence atteindre
les plus démunis et les moins lettrés
dont eux-mêmes
n'étaient jamais parvenus
à toucher le cœur.

Le Maître avait écouté mes conseils
et donné discrètement
le signe du départ
à l'ensemble des Douze.

Près de la Grande Porte
conduisant à la sortie du Temple,
entre les deux colonnes de porphyre,

souviens-toi, Jean,
l'aveugle était assis,
prostré, comme absent.
Il ne demandait rien.
Les trois docteurs de la Loi
qui nous espionnaient
afin de vérifier notre départ
désignèrent l'aveugle,
en disant avec l'ironie mordante
et la condescendance religieuse
dont ils usaient en permanence:
«Rabbi! Est-ce lui qui a péché
ou ses parents,
pour qu'il soit aveugle?»

Le Maître s'arrêta.
Il considéra les trois docteurs de la Loi,
puis, l'air désolé,
hocha la tête en s'adressant à eux:
«Ni lui ni ses parents
n'ont péché.
Il est né aveugle
pour que ses yeux s'ouvrent
sur la lumière du monde.»

Ensuite
— aujourd'hui encore je m'interroge
sur la signification
de son geste étrange —

mon Maître s'est accroupi.
Il a craché par terre,
et avec sa salive
Il a confectionné de la boue
et l'a appliquée sur les yeux de l'aveugle.

Voulait-Il ainsi nous désigner
les innombrables saletés
qui obturent notre regard,
l'empêchant de traverser les apparences
pour rejoindre la vérité?
Ou peut-être
voulait-Il nous manifester
à quel point nous refusions
d'ouvrir notre intelligence
et notre foi
pour le reconnaître, lui,
venu dévoiler les merveilles de Dieu?

En tout cas,
le voyant agir de cette manière,
les docteurs de la Loi ont ricané.
Leurs quolibets,
comme une traînée de venin,
ont poursuivi l'aveugle,
alors qu'il se rendait,
appuyé sur mon bras,
à la piscine de Siloé
où mon Maître l'avait envoyé

afin de se laver les yeux
de l'enduit boueux.

Arrivé à la piscine
où Jésus avait guéri le paralytique
peu de temps auparavant,
je dus bousculer
l'entassement des miséreux
rassemblés là
afin de dégager une place à l'aveugle.
Je guidai l'aveugle
jusqu'au bord de l'eau.
Il se pencha
et, de ses deux mains réunies,
il prit l'eau
dont il aspergea vigoureusement
ses deux yeux.

Il poussa un grand cri
et il se mit à tituber,
pareil à un homme ivre:
«Je vois! Je vois!»
Et, sans attendre, il courut
vers les deux colonnes de porphyre
où Jésus, souriant, l'attendait
en lui tendant les bras.

«Je vois!», répétait-il,
au bord des larmes et la tête posée
contre l'épaule de mon Maître.

Les trois docteurs de la Loi
demeuraient figés.
L'incrédulité allongeait leur figure
de façon si comique
que je dus me retenir
d'éclater de rire.

À partir de là,
tout s'est passé tellement rapidement
que les images
se brouillent dans ma mémoire.
Je sais seulement
que la joie m'emplissait à tel point
que je me prosternais devant le Maître
en disant: «Merci!»
Le Maître seul m'a vu et entendu.
Lui connaît ma foi.

Il y eut encore
d'interminables discussions
à propos de l'identité de l'aveugle,
et des arguties
pour tenter de démontrer
que, finalement, l'aveugle
était toujours aveugle
et que c'était un sosie
qui était revenu de la piscine!
Je les reconnaissais bien là,
les ergoteurs de la Loi,

spécialisés dans l'échappatoire
et dans le mensonge!

Pour démêler l'écheveau des arguties,
certains allèrent chercher
les parents de l'aveugle guéri.
Ils pensaient ainsi révéler l'imposture
en leur faisant avouer
qu'en réalité leur fils
n'avait jamais été aveugle.
Les parents,
remplis de crainte et désorientés,
n'osèrent rien affirmer
sinon que l'homme guéri
était leur enfant
et qu'il était né aveugle.
Craignant les trois docteurs de la Loi
qui les considéraient d'un air suspicieux,
ils n'ajoutèrent rien d'autre,
mais leurs yeux fixés sur Jésus
exprimaient
leur stupéfaction reconnaissante.

L'aveugle guéri, lui,
ne se laissait pas démonter.
Il répétait sans arrêt,
d'une voix ferme:
«Je vois! Je vois!
C'est lui qui m'a guéri!»

Il se permit même
un peu de gouaille:
«Si vous insistez tellement,
c'est sans doute
parce que vous voulez
devenir ses disciples!»
Il n'aurait pas dû,
car les docteurs de la Loi,
tellement sérieux et sévères,
n'apprécient guère que quiconque
plaisante à leurs dépens
et leur fasse la leçon.

Finalement, les trois docteurs de la Loi
chassèrent l'aveugle guéri,
lui interdisant même
de revenir à la synagogue de son quartier.
Puis, pleins de suffisance,
ils partirent en menaçant Jésus
de leur main levée.

Mon Maître et le guéri
se parlèrent un bref moment,
yeux dans les yeux.
Face à face.
Puis l'aveugle-né
se prosterna, le front sur le dallage,
devant le Maître.
Longtemps.

De ses deux mains
Jésus le releva.

Tout notre groupe se prépara
à quitter les lieux de la guérison
et à s'éloigner de Jérusalem.

La lumière du monde
était au milieu de nous.
En avions-nous réelle conscience?

Jésus était resté en arrière.
De loin, je l'entendis dire
à quelques pharisiens
postés sur son passage:
«Vous vous écartez volontairement
de la clarté.
Vous refusez de voir!»

J'observais de loin, attentif,
car lorsque les pharisiens
s'approchaient de mon Maître,
c'était toujours pour s'en prendre à lui
avec des mots blessants
et pour le railler.

C'est alors que j'entendis
distinctement mon Maître
disant d'une voix forte
à ses interlocuteurs:
«Je suis!
Avant qu'Abraham fût
Je suis!»
Quelle autorité dans sa voix!
Il n'y avait là
aucun buisson ardent,
mais je te le dis, Jean,
mon témoignage est véridique,
moi, Judas,
à cet instant précis,
je fus ébloui,
comme en plein soleil!
Et je tombai à terre.

Je me redressais quand,
de dessous les colonnes de porphyre,
des pierres furent lancées.
L'une d'entre elles
atteignit le Maître à la tête.
Il gémit un peu.
Du sang coula d'une entaille
à son front,
puis Il se détourna
pour s'en aller.

Jamais le Maître
n'a fait allusion à cet épisode.

Quel terrible aveuglement
m'a conduit à la trahison?
Mon Maître sait
que, maintenant,
à l'heure où je t'écris, Jean,
mes yeux se sont définitivement ouverts
et que je crois en lui
de tout mon être.
Pourquoi me chasserait-Il
de devant sa face?

Le second éblouissement
me prit à Béthanie
lorsque Jésus ressuscita Lazare.

Lazare, sur l'ordre de Jésus,
sortant du tombeau
encore tout encerclé
des bandelettes mortuaires,
attisa ma foi en mon Maître
jusqu'au flamboiement!

Mais c'est l'attitude du Maître
devant le tombeau
qui m'amena jusqu'à l'éblouissement.

Placé un peu de côté,
je pouvais le contempler
sans gêne et sans retenue aucune.
Jésus se tenait tout droit,
comme quelqu'un qui commande
et à qui aucun pouvoir
ne saurait résister.
Il me faisait penser à ce jour-là
où, dressé dans la barque,
Il cria face à la tempête.

Sur les lieux où nous étions réunis,
devant la pierre roulée du sépulcre,
aucun bruit.
Sauf le crissement aigu d'un grillon.

Les tombeaux me font peur.
Ils suintent l'absence,
et les lourdes pierres
roulées pour en verrouiller l'ouverture
masquent leur néant.

Le Maître se tenait en silence.
Des larmes brillaient
le long de ses joues.
Lazare était son ami.
Je pensais d'abord que son immobilité
était due à l'intensité de son émotion.
En réalité, mon Maître se préparait,
comme avant d'affronter un ennemi.
Il se recueillait,
comme avant de prendre sur les épaules
un pesant fardeau.

Tout d'un coup, en plein silence,
sa voix a claqué,
pareille à ces ordres
auxquels il n'était pas question
de se dérober:
«Lazare! Sors!»

Je ne me souviens plus
avec exactitude de la suite.
Sauf de cette vision étrange
d'un homme au visage
et au corps masqués de bandelettes
et titubant en plein soleil.

Je m'étais assis, comme foudroyé,
et posais ma tête entre mes bras,
sur mes genoux repliés.
J'exultais!
Tu entends, Jean?
J'exultais!
Mon esprit tressaillait de joie!

À cette heure précise,
devant une tombe,
j'eus claire conscience
que le Maître se battait!
Un combat, oui, Jean,
une lutte impitoyable!
Il commençait publiquement
le combat contre la mort.
Il commandait à la mort,
Il commandait à la vie!

À cette heure précise,
je vis en toute clarté
la mise en place d'un Royaume

où régnait le Maître,
pliant la mort et la vie
à ses commandements!

Dans mon cœur,
les mots chantaient
comme un psaume
au lever du jour!

Les temps étaient accomplis
et l'ardente attente de mon peuple,
enfin exaucée:
le Maître venait nous délivrer!
De la part de Dieu,
le Maître dispersait
les puissances et les trônes
qui distribuaient l'oppression et la mort!
Le Maître,
avec la force de son bras,
ouvrait les tombeaux
où s'enfouissaient
les espoirs de la terre!
En tous lieux,
le Maître appelait les Lazare de partout
à quitter leurs sépulcres de servitude
et à s'en aller
avec leur liberté déployée!

Là, devant nos yeux
et devant notre esprit
si lents à croire,
le Maître déroulait les bandelettes
qui enserraient les humains.

Il rendait le mouvement!
Il rendait la parole!
Il rendait la liberté!
Mon Maître!

L'onction de Béthanie,
peu de temps après
dans la maison de Marthe et de Marie,
t'en souviens-tu, Jean?

Lazare ressuscité était présent
et les gens venaient le voir,
afin de le toucher
et vérifier la réalité de sa vie.

C'est ce soir-là, Jean,
après le repas,
que tu m'as transpercé
avec tes mots de jugement
et ton air vertueux.
Jamais je ne l'ai évoqué,
ni avec le Maître
ni avec aucun des onze autres.

Mais, la blessure
est encore vive en moi,
en cette heure
où tant d'autres blessures,
plus profondes et déchirantes,
me transpercent l'âme.

Après le repas du soir,
il faisait tellement doux
être réunis entre amis
autour du Maître.
Je n'avais guère goûté au repas
préparé avec soin par Marthe.
Les paroles du Maître
me réjouissaient davantage
que la plus exquise des nourritures
et que le vin le plus corsé de Judée.
Le Maître, sans élever la voix,
plein de chaleur et d'enthousiasme,
avait déroulé devant nous,
la description d'un magnifique festin
où des viandes succulentes
et des vins capiteux
étaient servis à tous les invités,
où les mendiants, les pauvres,
les prisonniers, les aveugles,
les lépreux, les étrangers,

et tous les autres, purs et impurs,
étaient tous invités
avec un siège prévu
au nom de chacun,
où les rangs et les distinctions
étaient abolies
et où le Maître de maison,
en personne,
passait, en souriant,
servir largement chacun,
à tour de rôle.

Ma tête était remplie de visions nouvelles,
car je le savais,
le Maître parlait du splendide royaume
qu'Il était venu établir
de la part de Dieu
sur la terre des hommes
et où miséricorde et paix et clarté
brillaient à la manière de lampes
placées au sommet d'une montagne.
Je m'étais mis à rêver.

De subtiles odeurs
m'ont éloigné de mon rêve
et fait revenir dans la vaste pièce
où le soleil couchant

faisait courir ses pourpres
sur les tissus et sur les meubles:
comme si des paniers de fleurs
venaient d'être déposés sur les tapis,
comme si l'indicible senteur
des matins de printemps
s'était répandue autour de nous,
comme si le vent
passant sur les blés pétris
par les fournaises de l'été
soufflait son imperceptible haleine
sur nos visages!

Lorsque je vis Marie
baissée devant le Maître
et ses mains toutes luisantes,
je compris.
Avec du parfum, elle enduisait
les pieds de Jésus,
lentement, avec dévotion,
puis les essuyait
de ses longs cheveux cuivrés.
Le Maître se taisait,
mais sa main se posa
sur la tête de Marie.
Avec reconnaissance.
Avec tendresse.
Un geste d'amour.

Et sur le visage du Maître
advinrent fugitivement
gravité et tristesse,
peur et détresse.
Que voyait-Il
qui l'emplissait de crainte?

Puis, Marie remporta
le vase de parfum vidé.
Elle était heureuse!

En pensant aux jours à venir,
je dis alors, sans malice aucune:
«C'était un parfum très cher.
Peut-être eût-il
mieux valu le vendre
pour combler les trous
de notre caisse commune
et pour en distribuer aussi
une part aux pauvres.
Nous en rencontrons tellement
le long de nos chemins.»

Alors tu t'es levé, Jean,
fulminant
comme un de ces gardiens de la Loi
qui nous poursuivaient de leurs invectives

et tu m'as giflé avec des mots mauvais
qui me hantent encore
aujourd'hui, en ce jour de ténèbres:
«L'argent et toi, Judas,
c'est tout un!
Tu cours tout le temps
après l'argent.
Mais tu n'es qu'un voleur,
chacun le sait ici!
Combien de fois as-tu puisé
dans la caisse commune
pour en subtiliser
des deniers pour ton propre usage!»

Le Maître t'a regardé,
avec chagrin,
en secouant la tête,
comme pour te faire signe
d'enfermer les mots dans ta bouche.
Moi, je me suis levé en sursaut
et je suis sorti en courant.
L'air du soir m'apparut glacial.
J'ai pleuré amèrement.
Moi qui étais persuadé, Jean,
qu'autour du Maître
nous habitions dans la même amitié
et dans la confiance mutuelle!

Au bout d'un moment le Maître
est venu me rejoindre.
Ô sa main
sur mon épaule!
Il m'a ramené ainsi
dans le cercle des Douze,
gênés et le regard baissé.

Qu'est-ce qui t'a pris, Jean,
ce soir-là?
Quel esprit mauvais
s'était-il approché de toi?
Pourquoi m'as-tu traité de voleur,
m'accusant publiquement
de me servir dans la bourse commune?
Connaissais-tu la peine
que je me donnais chaque jour
pour économiser au maximum
tout en veillant à la nourriture
de tout notre groupe?
Connaissais-tu le nombre
de mes quêtes discrètes
partout où nous séjournions,
auprès des personnages influents,
afin de ramasser les petites sommes
nous permettant,
au Maître et à nous tous,
de continuer notre route?

C'est vrai,
je prenais de l'argent
dans la caisse commune,
mais c'était pour le distribuer
le long des chemins quotidiens
aux éclopés et aux miséreux
qui touchaient, en suppliant,
le bas de nos vêtements
alors que nous passions à leur proximité.
Le Maître le savait
et Il m'avait toujours laissé faire.

Aurait-il été possible
qu'avec le Messager
de la Bonne Nouvelle de libération
nous marchions au milieu des pauvres
sans leur laisser de notre superflu?

Maintenant,
dans la Nuit qui approche,
alors que plus rien
n'a d'importance pour moi
sinon l'amour de mon Maître,
je n'ai rien oublié.
Peut-être même,
t'ai-je pardonné,
Jean, fils du tonnerre,

si prompt à juger,
si prompt à dénicher
la paille dans l'œil d'autrui
et à rechercher
l'impossible pureté absolue!

Qui donc est pur?
Qui peut l'être
chaque jour?

Que m'est-il arrivé, ce jour-là,
le jour des pains multipliés?
Pourquoi ai-je permis
à la défiance de fêler
les liens
qui m'unissaient au Maître?

Le doute s'est insinué en moi
vers la fin de l'après-midi,
sur les bords du lac,
près de Capharnaüm,
alors que le Maître
annonçait des paroles mystérieuses
à la foule massée sur les rives.

Et le doute
a creusé sa niche,
faisant proliférer
le soupçon et le scepticisme.

Deux jours auparavant pourtant,
sans la moindre hésitation,
j'aurais remis mon avenir
entre les mains du Maître.
Il avait multiplié le pain
pour plus de cinq mille personnes!

Le Maître m'apparaissait,
à cette heure-là,
en toute clarté, transfiguré.
L'Esprit du Seigneur était sur lui!

Vraiment, je le croyais alors:
Il était envoyé par Dieu
porter la bonne nouvelle aux pauvres,
nourrir les affamés,
renvoyer les riches
les mains vides,
commencer les temps nouveaux
annoncés par les prophètes!
Il avait donné du pain,
largement, sans compter,
à la masse rassemblée,
à la foule,
à chacun,
à tous,
et il en restait encore
en abondance!

Tous ceux qui avaient suivi le Maître
sur les bords du lac
étaient des pauvres.
Ils n'étaient comblés de rien,
sinon de soucis et d'exactions
et de soumissions multiples
aux lois, aux Romains, aux riches.

Pour continuer à vivre,
ils étaient, chaque jour,
obligés de peiner durement.
Ils étaient venus près du Maître
afin de se nourrir
d'espoir et de courage
pour ne pas courber l'échine
devant l'avenir.

Ce jour-là, enfin,
pour eux,
devant leurs yeux émerveillés,
il n'était plus question
seulement de mots et de prophéties
destinés à faire patienter le peuple
et à le maintenir au calme,
courbé et obéissant,
en attendant la venue
de l'Oint du Seigneur.

Devant eux, pour eux,
en leur faveur de pauvres,
non pour l'un seulement,
mais pour tous,
le Maître accomplissait
l'acte visible et concret
manifestant solennellement
l'établissement du royaume
où la nourriture,

le goût de vivre,
la joie d'être comblé
devenaient le pain quotidien
de chacun!

Tous le comprirent,
même si c'était confusément:
ici, sur ce pré d'herbe fraîche,
ce pain multiplié à satiété
et partagé entre tous à volonté
était le premier banquet
du royaume que le Maître
s'apprêtait à déployer
au milieu de nous!

Alors pourquoi ma foi
a-t-elle été ébranlée?
Pourquoi l'incrédulité
s'est-elle fichée
dans mon cœur
à l'instant précis où le Maître
prononçait les mystérieuses paroles
au sujet de sa chair et de son sang?

Ma trahison
s'est mise en place,
je m'en rends compte,
pendant qu'Il parlait à la foule.

Me pardonneras-tu, mon Maître,
d'avoir été, à ce moment,
totalement sourd
à ce que tu disais,
pareil au sol aride
que l'eau ne parvient pas à fertiliser?
Me pardonneras-tu, mon Maître,
de n'avoir été que cœur de pierre
sur lequel rebondissaient
tes paroles?
Me pardonneras-tu, mon Maître,
d'être resté ossement desséché
refusant le souffle de vie
passant sur lui
afin de le ranimer
et de le revêtir de chair?

Ô mon Maître,
je n'ai pas vu plus loin
que mon propre désir

et je ne me suis occupé
que de mon attente exiguë.
Tu nous parlais
de ta brûlante présence
au plus intime de nous-mêmes
et du monde,
et du festoiement de vie
auquel tu nous conviais
afin d'en être nourris,
en plénitude,
et de la mort
qui ne saurait nous corrompre
grâce à toi, le Vivant,
demeurant en nous
et par qui nous traverserions
les limites de la chair et du sang!

Tu parlais de vie éternelle
et je pensais pain,
mie et croûte,
pour apaiser le ventre!

Pourquoi, ce jour-là,
ma foi et mon intelligence
se montraient-elles si mesquines,
tellement claquemurées?

Je n'ai rien compris, mon Maître!
Ai-je seulement cherché

à ouvrir le sens de tes paroles?
La méfiance me tenait.

Quand, de ta bouche,
j'entendis les mots:
«Celui qui mange ma chair
et boit mon sang,
demeure en moi
et moi en lui»,
ma foi se fissura
et l'incrédulité entra en moi
comme un chien hargneux,
bavant sur ma confiance.

Un voile opaque
alors enserra
ma foi, mon amitié,
ma confiance dans le Maître.

Ce torchon de ténèbres
s'est déchiré hier soir,
à la lumière des torches,
lorsque je t'ai donné mon baiser
dans le jardin de trahison.

Que disait-Il, mon Maître?
Quel était son langage?
Après tous ces chemins
parcourus ensemble,
après tous les signes
qu'Il avait accomplis,
après toutes les paroles
qui avaient éveillé tant d'intelligences,
après tant d'actes
par lesquels Il avait posé
la tendresse de Dieu
sur tant de gens
qui n'osaient même plus
lever les yeux vers le ciel,
après tant de jours
et tant de nuits
à préparer
le royaume à venir,
voici que mon Maître
revenait aux éternelles promesses
sans lendemains!

Mon Maître était un rêveur!
Un illusionniste! Un de plus!
Cela faisait tellement longtemps
que mon peuple
devait se contenter de promesses
qui éclataient toujours
sous les coups répétés

des oppressions et des exils!
Combien de temps
est-il possible de vivre
uniquement de promesses
comme seul pain quotidien?
Quel avenir mon peuple
pouvait-il construire
avec des promesses ressassées
pour uniques fondations?

Je sus dès lors
ce qui me restait à faire.
Comment avais-je pu ainsi
me tromper à son sujet?

Je croyais fermement
qu'il transformerait
la face de nos jours
et qu'à l'intérieur de nous,
Il poserait la lumière de Dieu
avec laquelle nous construirions ensemble
la cité humaine et divine
où le mal n'existerait plus,
où les ennemis mortels
ne seraient plus,

où l'humiliation de son peuple
serait effacée,
où le linceul de deuil
serait enlevé de toutes les nations,
où les premiers seraient les derniers,
où n'entreraient ni peurs ni pleurs
et où Dieu,
essuyant toutes larmes,
habiterait avec son peuple.

Je croyais de toute mon âme
que l'Esprit du Seigneur était sur lui
et qu'Il était consacré par l'onction,
qu'Il était envoyé
porter la bonne nouvelle aux pauvres,
annoncer aux captifs la délivrance
et aux aveugles le retour à la vue,
rendre la liberté aux opprimés
et proclamer
dans tout le pays,
à tous sans exception,
le jour du salut!
Je le croyais!
N'avais-je pas vu
les premiers gestes,
les premières pierres assemblées
de ce royaume?

Lorsqu'il s'est mis à parler
de sa chair et de son sang
à manger et à boire,
j'ai eu le net sentiment
que le Maître
nous entraînait dans un rêve
destiné simplement
à consoler à peu de frais et à apaiser
les inquiétudes de mon peuple
et l'aider à supporter
avec une joyeuse résignation
les angoisses et la réalité habituelles.
Que peuvent les rêves
contre la pauvreté,
contre la mort,
contre les coups de lances,
contre les matraques,
contre les chaînes,
contre la haine,
contre l'esclavage,
contre les galères,
contre l'arrogance des Romains,
contre les exécutions sommaires,
contre le lot commun et quotidien
des souffrances sans recours?

Il n'y a rien de pire
que les rêves
qui fleurissent en printemps

et qui n'aboutissent jamais
à la moisson.

Lorsque le Maître
eut fini de parler,
la déception se lisait
sur de nombreux visages.
Qui pouvait comprendre de telles paroles?

Beaucoup s'en allèrent, en silence.
Pourquoi ne suis-je pas parti avec eux?
Je suis resté,
avec mon cœur détourné du Maître
et avec, au fond de moi,
la graine pourrie de ma trahison
en train d'éclore.

C'est ce soir-là, je pense,
que me vint l'idée
de faire taire le Maître,
de bloquer sa Parole
afin de l'empêcher
d'entraîner encore une fois
mon peuple et mon pays
dans les illusoires espoirs

finissant toujours en soumission
ou en récoltes de sang.

Les semaine suivantes,
je demeurais avec vous,
je marchais avec vous,
je faisais mon travail,
j'écoutais le Maître.
Mais tout n'était que semblant.
Mon cœur n'était plus
ni avec vous,
ni avec le Maître.

J'ai acclamé le Maître
avec vous et la foule,
lorsqu'Il est entré à Jérusalem
par la Porte de David.
Avec la foule en délire,
moi aussi j'ai crié: «Hosanna!»
Mais mon cri
ne portait pas le chant de ma foi.
Ce n'étaient que des mots vides.
Je criais des mensonges.
Je n'y croyais pas.
Je faisais semblant.

Ce jour-là,
sur les manteaux étalés
par terre
et sur les habits
posés en tapis d'honneur
sous les pieds de mon Maître,
ce jour-là,
moi, Judas,
j'entrais en trahison.

J'avais tout oublié, tout égaré.
J'avais dissipé tout l'héritage
des jours passés
en compagnie du Maître,
de sa proximité,
de ses paroles
qui distribuaient le soleil,
de son visage transfiguré
sur lequel se cueillait la bonté,
de ses mains
relevant et redressant
les affligés du corps et de l'esprit,
de ses signes
qui ouvraient les portes de l'avenir,
de son regard
qui nous grandissait!

Comment en suis-je arrivé
à ce point extrême?
Ô mon Maître,
n'éloigne pas de moi
à jamais ta face!
Pitié pour moi!
Contre toi, contre toi seul,
j'ai péché.
Ma faute est devant moi
sans répit.
Lave-moi de ma trahison,
de ma faute purifie-moi!
Ce qui est mal,
je l'ai fait
et je l'ai fait contre toi!
Ô mon Maître, ô mon Maître,
pourquoi m'as-tu abandonné
entre les filets du mal?

Dans les replis boueux
de mon esprit dévoyé,
je savais qu'approchait le moment
où j'allais accomplir
l'acte ultime de ma trahison:
dénoncer le Maître
afin qu'Il soit obligé de se taire.

Ce jour-là,
sur les manteaux
étalant joyeusement leurs couleurs
devant le Maître
afin que ses pieds
ne heurtent pas la pierre
et ne se souillent pas
au contact de la poussière,
ce jour-là,
sur les rameaux fleuris
agités en ovations royales
en l'honneur de mon Maître,
moi, Judas, venu d'Iscarioth,
moi son ami, son apôtre,
son compagnon, son confident,
moi, Judas rempli de fiel,

alors que le Maître
entrait publiquement chez les siens
comme le Béni
venant au nom du Très-Grand,

moi, j'entrais publiquement
en trahison,
puisque à la face de mon peuple,
j'avais déjà rejeté mon Maître,
lui ayant depuis longtemps
retiré ma confiance.

Au soir du même jour,
je suis allé chez Éléazar,
membre influent du Sanhédrin.
J'avais été en affaire avec lui
du temps où je vendais du grain.
Tu ne le connais pas, Jean.
Il détestait le Maître
et, avec ses collègues du Sanhédrin,
cherchait depuis longtemps
à empêcher mon Maître
de répandre ce qu'il qualifiait
«d'erreurs blasphématoires»
à travers le pays.

Éléazar, me disais-je,
trouverait certainement le moyen
de ramener le Maître
à la réalité.
Sans doute suffisait-il
de le mettre
en face de ses responsabilités:
le Maître comprendrait sans peine
qu'Il entraînait le peuple
dans une douloureuse impasse
et mettrait fin de lui-même
à sa prédication exaltée.

Éléazar sourit en m'écoutant.
Maintenant seulement,
je me souviens de l'étrange lueur
qui, fugitivement,
traversa ses yeux
alors que je lui exposais
ma proposition d'imposer silence
à mon Maître
et de l'arrêter dans ses paroles.
Éléazar, d'une voix posée,
mais précise,
me demanda simplement
de lui signaler, au moment opportun,
l'heure et le lieu
où Jésus pourrait,
facilement et sans bruit,
être «arrêté».
Aujourd'hui, j'ai appris le sens exact
qu'Éléazar mettait
dans le mot «arrêté».

Trois jours passèrent à Jérusalem.
Je continuais avec le Maître
et avec vous tous.
Personne ne remarquait
le vide glacé qui m'habitait.

Le Maître parlait aux gens,
comme de coutume,
avec la même bonté
qu'Il avait toujours manifestée
à ceux qui venaient vers lui.
Quelques malades lui étaient amenés.
Il posait sur eux ses mains
et ils repartaient, visiblement réconfortés.
Je vis le Maître
guérir un lépreux
dont le visage ressemblait
à un masque de cuir
partant en lambeaux.

Mais je demeurais indifférent.
Le Maître ne m'intéressait plus
et j'avais hâte
de n'être plus avec lui.

Autour de nous
l'atmosphère changeait imperceptiblement.
Plus de cris,
plus d'ovations,
mais une ambiance feutrée, pesante.
Comme un ciel qui se chargeait
avant l'orage.
Comme une chape de méfiance
qui nous recouvrait.
Des regards apeurés,
des silhouettes s'écartant furtivement.

Vous, les Douze — les Onze! —,
étiez désorientés.
Que se passait-il?

Moi, je savais!
Les envoyés du Sanhédrin
circulaient en ville
avec leurs menaces à peine voilées
à l'adresse de ceux qui avaient été vus
en train d'acclamer le Maître
avec leurs «Hosanna!»
et leurs «Béni soit-Il!»
criés à tue-tête trois jours auparavant.
Ils faisaient le vide
autour de Jésus.
Sans doute fallait-il
le séparer de la foule

et commencer à le montrer du doigt.
Il fallait déjà le désigner
comme un objet de rebut
à mépriser
et à compter pour rien
aux yeux de la multitude.

Au soir du troisième jour,
je me retrouvais seul avec le Maître,
dans la maison de Lazare
qui nous avait offert l'hospitalité
pour le temps de la Pâque.
Jésus s'arrêta en face de moi.
Qu'Il était triste!
De sa main,
Il esquissa un geste vers moi.
Je reculai.
Je craignais qu'Il me touche.
Alors mon Maître dit: «Judas!»
Aujourd'hui, je sais
qu'Il m'appelait au secours.

Au matin du quatrième jour,
alors que le soleil
hissait à peine sa lumière

par-dessus les collines à l'horizon,
la Pâque étant proche,
mon Maître nous entraîna au Temple.
Nous y restâmes longtemps,
silencieux et recueillis.

Vous aviez tous pris de l'avance,
Jean,
à la sortie du parvis.
Je traînais à quelques pas du Maître.
Une ribambelle d'enfants
entoura le Maître,
en riant, en gesticulant et en criant:
«Vive Jésus! Vive le messie de Dieu!»
Aussitôt deux hommes
— je les reconnus:
des envoyés du Sanhédrin —
furent sur nous
et apostrophèrent le Maître,
pleins de morgue:
«Fais taire ces enfants!
Ils blasphèment!»
Le Maître se tourna vers eux
et lentement s'approcha d'eux,
jusqu'à les toucher.
Ils se mirent à reculer,
brusquement remplis de crainte.
Face à eux, le Maître
dit d'une voix si forte

qu'elle roula à travers le parvis:
«S'ils se taisent
les pierres se mettront à crier!»
Puis, Il leur tourna le dos
et s'éloigna d'eux, abasourdis,
à grands pas,
sans un seul regard en arrière.

De retour à la maison de Lazare,
Jésus demanda à Matthieu et à Jacques
de réserver, pour la soirée,
une salle au centre de Jérusalem
afin que nous puissions tous
y prendre le repas de la Pâque.
Il nous informa aussi
que, comme à l'accoutumée,
nous irions, après la cène,
prolonger la fête et la prière
dans la fraîcheur du Mont des Oliviers.

Pourquoi demeurais-je avec vous, Jean?
J'étais séparé de vous
plus encore
que par le fossé
qui entourait le camp des Romains.

Au crépuscule,
l'obscurité se coulant dans la ville,
nous avons pris place
sur les couvertures rouges
disposées sur les bancs
entourant la table
sur laquelle étaient posés
quelques lampes à huile,
les pains sans levain,
la cruche de vin,
les herbes amères et les coupes.

Personne ne parlait,
même pas le Maître
qui s'assit au milieu du banc,
pain et vin à portée de ses mains.
Les lampes à huile
peignaient de longues ombres obliques
sur les murs ocres et leurs lézardes.
Pourquoi ai-je encore en mémoire,
sous le pain, le vin et les coupes,
la fine nappe jaune
tissée en son centre
de deux traits verts horizontaux
coupés en leur milieu
d'une large bande rouge verticale?

Nous entourions le Maître.
Toi, Jean, tu t'étais placé

à côté de lui,
tout près de lui,
moi en face.

Était-ce vraiment moi,
là, en face du Maître?
Je ne percevais rien
de ce qui se déroulait
en ma présence.

Je vis seulement le Maître
étendre les bras
pour la grande prière de la Pâque
et, lentement, lever les yeux au ciel.
Puis il nous regarda, un à un.
Mais j'étais incapable de voir.
Où étais-je?
Dans quelles ténèbres?

De ses mains,
le Maître a rompu le pain.
Il y avait de la violence
dans son geste,
comme s'Il pratiquait une déchirure.

Je ne garde aucun souvenir
de ses paroles à cet instant-là.
Il nous a distribué les fragments
du pain rompu.

J'ai fait comme vous tous:
j'ai mangé.
Sur ma langue,
le pain avait un goût
de cendres refroidies.

Quel démon s'est alors
saisi de moi?
Quel serpent,
glissé dans mon cœur?
Pourquoi ne l'ai-je pas écrasé
avec force,
comme je l'avais fait
auprès du feu,
un soir en Samarie,
quand une vipère avait rampé
jusqu'aux pieds du Maître endormi?

Le Maître m'a regardé.
Sans aucun doute, Il a pressenti
ce qui se glissait en moi.
Le Maître a tenté de me prévenir,
car j'entendis à cet instant précis,
au milieu des chants de louange
et des prières de bénédiction,
sa voix qui chuchotait
— c'était à mon intention,
je le sais maintenant! —:
«L'un de vous me trahira.

Malheureux cet homme!»
Je pense que personne autour de la table,
personne d'entre vous
n'a entrevu alors
sa main par-dessus les coupes
se tendre vers moi
comme pour tenter de me retenir.
Mais j'étais enchaîné,
totalement livré au mal,
éloigné du Maître,
incapable de ressentir encore
l'indéfectible amitié
qui me liait à lui
depuis qu'Il m'avait cherché
derrière mes sacs de grains.

Sous le regard plein de détresse
de mon Maître
et pour n'avoir pas besoin
de répondre à son regard,
je fis semblant d'ajouter
de l'huile aux lampes.
Je lui tournais le dos.
Puis, je sortis.

C'était la Nuit.

À en perdre haleine,
j'ai couru chez Éléazar
afin de le prévenir.
En moi, aucune émotion,
seulement un grand vent froid
qui me broyait les entrailles:
le moment était venu
de stopper la trajectoire du Maître
et de ses illusions sans lendemain.

Éléazar était à table
lorsque je parvins à sa maison
richement éclairée
et décorée pour la Pâque.

Il m'écoutait avec attention
et quand il apprit le nom de l'endroit
où il pourrait mettre la main sur Jésus,
il repoussa immédiatement toute nourriture.

Je le suivis
au poste de garde du Temple.
Je ne comprenais pas
pourquoi, là, en toute hâte,
il rassembla une quinzaine d'hommes.
La seule image que je conserve

de notre marche, de notre course
jusqu'au Mont des Oliviers,
est celle des torches
dont la fuligineuse clarté
tremblait dans l'obscurité,
faisant reluire la sueur
sur les visages des gardes
ainsi que des lambeaux de ruelles
dans lesquels traînaient des ordures.
J'avançais avec eux.

Pourquoi n'ai-je pas fait demi-tour?
Je voyais pourtant
la trouble jouissance et la haine
dans la manière des gardes
de ricaner et d'agiter leurs gourdins.

À l'entrée du jardin
sur le Mont des Oliviers,
Éléazar m'appela près de lui,
au-devant de la troupe.
Je devenais ainsi le meneur.
Je le conduisais
vers l'Agneau à immoler!

Ô mon Maître,
qu'ai-je fait?

De loin, j'ai distingué
Pierre, André et Jacques
calmement assis près d'un bouquet
de jeunes oliviers.
Tout près d'eux, Philippe et Jacques,
et tous les autres un peu plus haut,
vers le remblai de cailloux secs
entourant le jardin.

Vous dormiez!
Vous dormiez tous!
Comment avez-vous pu
laisser le Maître tout seul?
Étiez-vous complètement aveuglés?
N'aviez-vous pas remarqué,
au cours des dernières semaines,
à quel point le Maître était calomnié
par les soins des chefs du peuple
et en butte à l'hostilité grandissante?
N'aviez-vous donc,
vous les fidèles, les proches,
les purs sans trahison,
ni vu ni entendu
à aucun moment
les ennemis qui refermaient
leurs pièges sur le Maître?

Et chez moi,
n'aviez-vous rien discerné,
aucun signe annonciateur?

En m'approchant,
j'eus le temps de voir le Maître.
Il était à genoux,
comme tombé à terre.
Prostré
contre le tronc tordu d'un olivier.
Son visage était fatigué
et strié de larmes.
Il gardait ses yeux fermés.
La peur déformait ses traits,
comme si une panique irrépressible
l'avait empoigné tout entier.

Que s'était-il passé?
Que lui arrivait-il?
Je l'avais toujours vu
rempli d'énergie
avec des éclats de soleil dans les yeux!

Il était à bout,
visiblement vidé de ses forces.
Cassé, incapable de se relever.
Soudé à la terre,

courbé, ployé,
ses deux mains étaient posées à plat
sur le sol
pour s'y appuyer
ou pour s'empêcher de s'affaler
dans la poussière sèche du jardin.

Dans mon dos
je ressentais la poussée
des gardiens du Temple
ainsi que leur essoufflement rauque
et, brusquement, résonnèrent dans ma tête
les mots du psaume
tant de fois prié à la synagogue:
«Des taureaux nombreux me cernent,
de fortes bêtes m'encerclent,
contre moi bâille leur gueule,
lions lacérant et rugissant!»

Ils me bousculaient.
Éléazar me heurta du coude:
«Où est-il?
Lequel est-ce?»
Sans réfléchir, je répondis:
«J'irai l'embrasser.
Ainsi vous le reconnaîtrez.»

Quand j'arrivais jusqu'à Jésus
Il venait de se relever
de toute sa taille.
Il paraissait calmé.
En lui plus aucune trace de crainte
et même Il me souriait
en esquissant le geste
de m'ouvrir les bras.
Alors je l'ai embrassé,
comme nous le faisions tous
après les jours d'absence,
lorsque nous revenions deux par deux
des chemins de Galilée et de Judée
sur lesquels Il nous envoyait
régulièrement annoncer en son Nom
la grande tendresse de Dieu
pour ses enfants délaissés.

J'ai embrassé mon Maître,
et c'est ainsi que je l'ai désigné
à ses ennemis venus
l'emmener jusqu'à l'abattoir.

Je l'ai embrassé!
Par un baiser,
je l'ai trahi.
Un geste d'amour
devenu un geste de haine.
Je l'ai désigné

à la meute du mal.
Je l'ai déserté.
Je l'ai abandonné.

Ils se sont jetés sur lui.
Ils riaient aux éclats.
Ils l'ont lié.
L'un d'eux,
de sa sandale cloutée,
l'a frappé dans les reins
lui a tiré les mains derrière le dos
et l'a ligoté
de telle sorte qu'Il était obligé
de tirer ses épaules en arrière
pour éviter à ses muscles
de se briser à la manière
des cordes trop tendues.

Il s'est laissé faire.
Ils l'ont frappé
avec leurs gourdins,
des bâtons durcis au feu.
Il n'a pas ouvert la bouche.

Éléazar, sans rien dire,
l'a toisé de haut en bas,
à la manière des Romains
lorsque, sur la grande place

près du Temple,
ils évaluaient les esclaves
qu'ils destinaient aux galères.
Puis, brutalement, il l'a giflé
avec une telle force
que le Maître s'est mis à tituber.

C'est alors que je compris!
Pourquoi, à cet instant précis,
ai-je pensé à l'aveugle-né
et à la salive boueuse
posée sur ses yeux?
C'était moi, l'aveugle!
Oh, mon Maître,
guéris-moi!

Moi, je voulais juste
qu'ils arrêtent le Maître
et lui interdisent de parler.
Mais eux voulaient sa mort!
Ils avaient, depuis longtemps,
programmé sa mort.
Et moi,
j'étais devenu leur agent recruteur.
Leur exécuteur!

Au même moment,
Éléazar me glissa discrètement
un petit sac de cuir dans ma main.
En l'ouvrant, je restai abasourdi:
à vue d'œil,
il contenait environ trente deniers!
Ce fut
comme un coup de poignard
dans mon ventre
et je sus!
Il me payait
pour avoir livré le Maître!
C'était une transaction!
Je venais de vendre le Maître.
Judas le marchand!
Le vendeur!
J'ai vendu mon Maître,
vendu comme une bête
pour le sacrifice!

Éléazar et le Sanhédrin
n'avaient décidément rien compris.
Me prenaient-ils
pour un maquignon?
Ils me donnaient de l'argent
provenant sans doute
des caisses du Temple.
L'argent
des holocaustes et des sacrifices!

Avec le même argent,
je venais de leur sacrifier mon Maître!

S'ils savaient à quel point
l'argent m'est en horreur
recouvert de sueur et de sang
et gluant du dépouillement des pauvres!
Ils pensaient que je le vendais,
que j'étais tombé assez bas
pour le troquer
en échange de quelques pièces de saleté!
Imbéciles!

Après le jardin,
j'ai couru, à bout de souffle,
jusqu'au Palais de Caïphe.
C'est chez lui, j'en étais sûr,
qu'ils avaient conduit Jésus:
depuis le temps qu'ils cherchaient
à museler mon Maître!

Un serviteur m'a ouvert.
Dans l'entrée se tenait Éléazar,
tout rouge d'excitation,
et Caïphe près de lui,
la main posée sur son épaule.
En me désignant,

Éléazar chuchota
quelques mots à l'oreille de Caïphe
qui, alors, s'est tourné vers moi.
Et, d'une voix onctueuse,
Caïphe m'a félicité:
 «Tu as rendu un incomparable service
à notre nation.
Ton aide permet
à la foi de nos ancêtres
de se prolonger indéfectiblement
telle qu'elle nous a été enseignée.
Bon fils de notre peuple!
Grâce à toi c'en est terminé
de toutes ces dérives exaltées
qui auraient fini
par attirer l'attention des Romains
et par détruire les fondements mêmes
de ce que nous avons hérité
de Moïse!
Tu le sais bien:
il vaut mieux
qu'un seul homme meure
plutôt que tout le peuple!»

J'ai pris les trente deniers
et les lui ai jetés
en pleine figure.
Puis, j'ai vomi.
Il a levé les mains

pour se protéger.
J'entendais encore ses sarcasmes
alors que je dévalais la ruelle,
loin de chez lui
qui venait d'acquérir mon Maître.

Mon baiser dans le jardin,
Jean,
n'avait d'autre but
qu'arrêter Jésus
dans la prédication de ses rêves
et de lui ôter le pouvoir
d'illusionner le peuple.

Ce que vous dites de moi,
toi Jean et les autres,
je m'en doute:
«Il fallait s'y attendre
avec ce Judas
et son comportement
tellement différent du nôtre.
Mais dénoncer le Maître
et le vendre à ses ennemis,
qui l'aurait seulement imaginé?
Qu'il pourrisse
dans la géhenne de feu!»

Oui, Jean,
c'est moi, Judas, le délateur!
Je porte mon péché.
Il me brûle
jusque dans mes os.
Il me lacère le cœur.
Il est logé
dans mes entrailles
pareil à une hyène
me dévorant de l'intérieur.
Il dessèche ma bouche
et m'arrache à tout espoir.

Il n'est pas question de me justifier,
Jean,
ni de me trouver des excuses.

Mais dis-moi, Jean,
que connais-tu du secret des cœurs?
As-tu toujours été fidèle?
N'as-tu jamais douté?
N'as-tu jamais senti
la Nuit envoyer ses chiens
happer tes certitudes?
N'as-tu jamais connu
lassitude et hésitation

devant les paroles du Maître?
N'as-tu jamais éprouvé l'envie
de t'éloigner de sa voie étroite
et tellement rocailleuse?
Jamais tenté par de petites lâchetés,
un petit trafic par-ci par-là
pour arranger tes affaires,
pour avoir raison
et apparaître
comme le compagnon sans reproche?
Jamais d'hypocrisie
devant le Maître?
Jamais de désir coulé
vers la femme qui passait
à portée d'yeux
alors que le Maître
parlait de l'adultère du cœur?

Moi, Jean,
depuis ma naissance,
je suis un être divisé,
séparé, désuni,
attiré par le bien
et dansant autour du mal.
Pas un jour n'a passé
sans que je sois obligé
de lutter

contre les puissances de nuit
à l'affût de mes parts de lumière.

Suis-je le seul
et définitif traître?
Cela devrait vous arranger tous:
ne suffit-il pas d'un traître,
d'un infâme, d'un impie
à rejeter et à condamner
pour cacher les multiples
et insidieuses traîtrises
de tous les autres?

Je ne me justifie pas, Jean.
Mais j'essaie d'entrouvrir la Nuit
qui m'a encagé
afin de comprendre
d'où m'est venue cette fêlure
m'amenant au parjure
et comment a pu surgir
à l'intime de mon cœur
cette redoutable volonté mauvaise.

Si seulement tu pouvais concevoir
à quel point je regrette
ce que j'ai fait.

Ce que j'ai fait
est sans pardon.
Que me reste-t-il désormais?

Après cela je suis retourné
au Jardin des Oliviers
et je me suis jeté à terre,
à l'endroit même
où ils ont arrêté Jésus.

J'ai pleuré, Jean.
As-tu jamais pleuré
de honte, de détresse,
de dégoût,
devant toi-même?
J'ai pleuré.
Sur mon Maître
arrêté et lié
comme un voleur.
Sur moi,
compagnon du Maître
et traître.
Sur mon peuple
et ses rêves toujours inassouvis.

Combien de temps
suis-je resté ainsi,
allongé à même le sol,
sans autre souhait
que m'enfoncer dans la terre

pour y disparaître à jamais?
Étais-je seulement digne
de voir encore le soleil?

Il commençait à faire clair
lorsque je repris conscience.
En trébuchant,
je descendis la colline
en direction de la Ville.
En traversant le Cédron,
j'aspergeai d'eau mon visage
et, dans le torrent,
j'ai frotté mes mains,
longuement,
jusqu'à en avoir les doigts rougis.
Mais existe-t-il une eau
assez limpide et assez puissante
pour purifier les traîtres?

Par la porte des Lions,
je suis entré à Jérusalem,
repassant encore une fois
tout près du Palais de Caïphe.

Dans la cour, j'entendis
du bruit, des cris, des rires
et je vis un feu
autour duquel s'agitaient des silhouettes.
Je reconnus les gardes
ayant arrêté mon Maître,
surtout le grand borgne,
serviteur d'Éléazar,
qui avait rageusement malmené Jésus
avant de lui ligoter les mains.
Des gourdins traînaient par terre.
Ils devaient avoir beaucoup servi,
car certains étaient maculés de sang.

L'entrée du palais de Caïphe
m'apparut blafarde
dans le jour naissant.
Le monde connaîtrait-il encore
l'apparition de la lumière?

Ici se jouait le sort de mon Maître,
entre les mains de ceux
qui ne se préoccupaient
que de la prolongation
de leur pouvoir religieux
imposé aux esprits et aux cœurs.
Qu'allaient-ils faire de lui

qui avait passé
parmi les siens,
pareil à une offrande,
en n'accomplissant que le bien?

Sans plus attendre,
je suis venu me réfugier
dans la petite pièce
au-dessus du logis
de Marie de Magdala.
Elle n'a pas eu connaissance
de ma présence.
Si elle avait su,
m'aurait-elle chassé?

Je suis arrivé chez elle
au moment même
où un soleil pâle,
presque laiteux,
se levait
au-dessus des murailles.
Une teinte de mort.
Le dernier soleil
pour lui
et pour moi.
Le dernier jour
pour lui
et pour moi.

En me glissant
le long des ruelles encore crépusculaires,
j'entendis quelques remarques goguenardes
à propos du Rabbi de Nazareth
conduit devant le tribunal de Pilate
et qui, paraît-il,
serait jugé
comme opposant à l'empereur.
Ainsi tout était réglé!
Tout était stratégiquement prévu.
S'ils mêlaient les Romains
à l'arrestation de Jésus,
n'était-ce pas
pour se débarrasser définitivement de lui
en le faisant condamner à mort?

Le sort de mon Maître était scellé!
Tout était fini.
Accusé de la sorte,
personne n'était jamais revenu
d'un tribunal romain!

Depuis l'aube, j'écris.
Depuis que j'ai compris
qu'ils ne le lâcheraient plus.

Il est trois heures
de l'après-midi.

Je le vois là-bas,
sur la colline du Crâne,
entre les deux autres.
On le voit de partout,
de tout Jérusalem.
Cette Ville pue la haine.

Je le vois
et mon cœur est transpercé.
À cause de moi,
Il est exposé là-bas,
offert aux regards et aux cris
et au contentement
de ceux qui le poursuivent
depuis tant de mois
de leur hostilité.

Ce jour est le dernier, Jean.
Avant que le soleil
ne dépose ses feux
derrière les collines de la Ville,

j'accrocherai mon corps
tout en haut du figuier mort
enraciné dans le Champ du Potier
d'où se voit le Calvaire.

Je connais parfaitement
ce qui m'a été appris
et qui nous a été enseigné
dans les Livres saints:
«Les pendus sont maudits de Dieu.»
Qui le sait?
Dieu pourrait-Il maudire
qui que ce soit,
Lui qui a tiré l'être humain
de la boue des origines
afin de laisser sourdre en lui
son amour?

Je mourrai là,
dans le Champ du Potier,
en même temps que lui.
Comment lui survivrais-je,
moi qui l'ai envoyé
à la mort d'infamie,
lui l'Innocent, le Serviteur,
l'Agneau de Dieu,
le Prince de la Paix,
le Merveilleux Conseiller?
Le Messie de Dieu!

Je ne m'enfuis pas dans la mort
pour échapper à la honte des traîtres
ou aux coups mérités
de votre colère et de votre réprobation.
Je ne me donne pas à la mort
pour éviter
d'être marqué à jamais,
comme Caïn,
du signe des meurtriers et des parjures
ou parce qu'il m'est impossible
de supporter le poids de mon péché.

Je vais à la mort,
oui,
je vais à la mort
de mon plein gré
parce qu'il m'est impossible
de vivre
en l'absence de mon Maître.
Comment vivrai-je
alors que la Vie
a été retirée du milieu de nous?
Ne vaut-il pas mieux disparaître
qu'exister sans lui?

En même temps
qu'Il sera pendu, là-bas,

sur la Colline chauve,
à l'ignoble bois de torture,
moi, je serai pendu ici,
dans le Champ du Potier,
au vieil arbre desséché!

Bien que séparés,
nous serons ensemble.
Bien qu'éloignés,
nous serons, lui et moi,
face à face.
Peut-être me verra-t-Il de loin,
lui dont le regard a percé
tant d'obscurités
et dévoilé tant de secrets cachés.
Moi qui me suis écarté de lui,
je serai, d'une certaine manière,
avec lui, à ses côtés,
compagnon des derniers instants.

Ma trahison m'a éloigné de lui
plus que le soleil de la terre,
j'en ai conscience,
et rien ni personne
ne peuvent faire
comme si cela n'avait pas été.

En ces instants ultimes,
alors qu'en ce pire supplice
inventé par les Romains,
son âme et son corps
sont déchirés
de souffrance et d'abandon,
je suis avec lui!

Alors que,
cloué et déchiqueté,
rompu, ridiculisé,
exclu, maudit,
Il ferme ses yeux
pour tomber dans la mort,
je suis avec lui!
Je tomberai avec lui!

Ne revient-il pas aux amis,
aux proches, aux compagnons
d'accompagner jusqu'au bout
des chemins de l'horreur?

Je choisis de mourir
avec mon Maître
afin qu'Il ne soit pas seul
et qu'Il me voie,
fidèle à ses côtés.

J'aurais pu venir te trouver, Jean,
et me confier à toi, ce matin,
au lieu de m'enfermer ici
pour t'écrire!
M'aurais-tu seulement écouté
sans t'écarter de moi
en te voilant la face
et sans me crier: «Impur»?
Prête-t-on l'oreille aux traîtres?

Je suis attristé, Jean,
car, en réalité,
toi, comme les autres,
vous ne connaissez rien de moi.
Rien.
Rien d'autre
que ce que vos jugements préconçus
à mon égard
vous ont permis de saisir de moi.
Nous avons tant vécu ensemble
et nous sommes demeurés des inconnus!
Le Maître me connaît,
lui qui sonde mes reins et mon cœur.
Il sait, lui, qui je suis.

Je n'attends rien de toi, Jean,

ni des autres,
ni compréhension
— qui pourrait comprendre ce que j'ai fait?
moi-même j'en suis incapable! —
encore moins de pardon!

Je n'attends de vous
que jugement et condamnation.
Oui, j'ai trahi.
Oui, j'en ai honte.
Oui, je me repens.
Et alors?
Rien n'est changé pour autant!
Vous, vous ne pouvez rien pour moi.
Lui seul, mon Maître,
mon Maître que j'ai trahi,
lui seul peut prononcer
les paroles d'absolution
qui me relèveraient.

Qui suis-je, moi,
pour te parler ainsi, Jean?
Toi, jamais tu ne l'as trahi!
J'étais plein de déception,
mes passions m'avaient emporté,
mon esprit et mon cœur
étaient à la dérive,

l'erreur s'était installée en moi,
je m'étais trompé à son sujet.
Ma foi n'était même pas grande
comme une graine de moutarde.
Elle ressemblait
à une fumée d'encens
s'élevant dans le ciel
et dispersée
au premier souffle de vent.
Je n'ai pas su voir
la lumière de son visage.
Je n'ai pas su entendre ses paroles.
Je n'ai pensé qu'à moi
et à l'assouvissement
de mes espoirs et de mes attentes.
Ô mon Maître!

Oui, Jean,
moi qui suis égoïste,
traître,
mal-croyant,
infidèle,
hésitant,
trébuchant,
méfiant,
pécheur
jusqu'à la moelle,

depuis le commencement,
pourtant,
je l'aime!

Et je l'aime toujours,
en ce jour ultime,
même après mon baiser,
même après mon parjure,
même après le mal
que je lui ai fait!
Je l'aime toujours.
Il est mon Maître, à jamais!

J'achève ici, Jean,
les mots qui dénudent
les secrets de mon âme.
Même si tu les penses souillés,
sache qu'ils te portent
la vérité de mon cœur.

À qui les aurais-je livrés
sinon à toi,
compagnon du Maître,
toi qui m'es tellement semblable?

Je te laisse
ces mots griffonnés à la hâte.
Tu aimes le Maître.
Peut-être les comprendras-tu
puisque, moi aussi, j'aime le Maître.

Si seulement, Jean,
tu m'avais considéré
de façon moins distante
et moins hautaine,
et surtout sans constamment me juger.
Peut-être aurais-tu discerné
le tourment et le trouble
qui m'agitaient depuis les débuts

de notre route avec le Maître.
Peut-être en serait-il autrement
aujourd'hui?

Les jours viendront
où tu changeras, Jean.
Je le sais,
la douceur finira par assouplir
ta raideur et ton intransigeance.

N'as-tu pas remarqué à quel point
nous avons tous changé
au contact du Maître?
Est-il possible
d'avoir écouté le Maître,
d'avoir mangé en sa présence,
d'avoir reçu sa parole,
d'avoir goûté son amitié,
de l'avoir vu prier
sans que l'être tout entier
en soit, peu à peu, retourné
et définitivement installé
dans l'humilité et la miséricorde?

As-tu songé, Jean,
à la signification de mon nom?
Moi-même y songe aujourd'hui
avec stupéfaction!

Dans la langue de notre peuple,
Judas, Yehuda, signifie:
«celui qui loue,
celui qui chante
les louanges de Dieu!»

Te rends-tu compte, Jean,
moi, Judas,
le dévoyé, le traître,

moi, l'autre disciple,

je chante
les louanges de mon Maître!

Au moment
où je m'en vais aux ténèbres,
je deviens enfin fidèle à mon nom!

Mots et images,
crainte et espoir,
honte et terreur,
larmes et désespoir:
en moi, tout se bouscule,
pêle-mêle,
et se couvre d'obscurité.
Il ne me reste guère de temps.
Il faut que je me presse.
L'Heure vient.
Elle est là.

Je vais rejoindre
le Champ du Potier.
De là, je verrai mon Maître
sur la croix
où Il a été écartelé.
Lui, savait depuis toujours,
que, malgré les apparences,
je l'aimais
de tout mon être insatisfait.
Lui, savait
depuis les premiers jours
de notre route commune
où s'en allaient mon cœur
et mes prières,

vers quelles rives,
vers quelles promesses,
vers quelles étoiles.

Me voici, mon Maître!
Je meurs
en même temps que toi.

Je t'ai abandonné
au cours de ma vie.
Au moment de ta mort,
je viens avec toi.

Tu es le Seigneur de mon cœur!
Je n'ai d'autre soleil que toi.
Si tu meurs,
je n'ai plus de lumière!
À quoi bon rester
sur une terre de ténèbres?

Je viens avec toi, mon Maître.
Ne me tiens pas rigueur
de mon offense.
Ne me rejette pas loin
de ta face.
Je n'ai pas l'habit de noce
dont tu parlais si souvent.
Je n'ai
que mon habit de trahison

et que mon désir éperdu
d'être avec toi.

Je t'ai quitté
et, par d'étranges détours,
je t'ai retrouvé
pour demeurer avec toi.
Qu'ils sont impénétrables,
tes chemins, Maître!

Je viens à la dernière heure
alors que tout est accompli,
alors que la vendange est faite,
alors que le vin est pressé,
alors que les durs labeurs du jour
ont été réalisés.
Je suis le dernier
et je ne mérite pas
que tu m'accordes
la moindre récompense,
mais toi, mon Maître,
tu défendras ma cause.

Je suis le dernier,
l'impur,
mais tes bras,
je les vois

là-bas sur la colline de crucifixion,
sont tellement ouverts
que, je le sais,
tu me serreras sur ton cœur
en m'accueillant dans ton royaume.

Tu me montreras,
et, comblé de joie,
je le contemplerai,
ton visage!

Je le crois
de toute ma confiance,
par-dessus mon parjure,
par-dessus ma traîtrise,
par-dessus ma honte,
tu écriras ton Nom
sur mon front!

La nuit n'existera plus,
plus besoin de la lumière du soleil,
car tu m'illumineras.
Tu t'assiéras en face de moi,
tu poseras ta main
sur mes mains,
comme pour effacer la souillure
qui les recouvre,
et, ensemble,
nous prendrons le repas.

Je serai ton convive
pleinement rétabli dans ton amour.

Maintenant, mon Maître,
Tu peux me laisser
m'en aller.
Je suis en paix.
Mes yeux t'ont vu.
Mes yeux ont reconnu le salut
que tu préparais
à la face des peuples.

Voici le jour
que fit le Seigneur,
jour de fête et d'allégresse!
Je n'ai plus peur.

Mon cœur exulte,
mon Seigneur et mon Dieu,
mon Sauveur,
car je viens!
Je viens à toi
qui es mon unique bonheur,
je viens chez toi,
enfin avec toi!

Revêts-moi
de la tunique de joie.
Prends-moi dans tes bras,

Maître,
je suis de retour!
Mon Maître,
donne-moi
le baiser de l'accueil,
car je suis de retour!

Tout est accompli.
Je viens, Seigneur.
Entre tes mains,
je remets mon esprit.

Viens, Seigneur Jésus!
Maranatha!

Depuis trois mois déjà
que Jérusalem
a été détruite
par les légions de Rome!

Alors qu'à la nuit tombée
je marchais parmi les décombres,
moi, Josias,
fils de Simon,
que le Maître a nommé Pierre,
j'ai découvert
cette «épître»
coincée dans un fragment
de linteau de porte.
Du parchemin usé
pendait un reste de cordelette
en cuir rouge.
Le destinataire de l'épître
ne l'a jamais reçue ni lue.

Mais Lui,
sans aucun doute,
l'a reçue et lue.